Geiger, Ludwig

Der Ursprung der Sprache

Geiger, Ludwig

Der Ursprung der Sprache

Inktank publishing, 2018

www.inktank-publishing.com

ISBN/EAN: 9783750120594

All rights reserved

Der Ursprung der Sprache.

Von

L. Geiger.

Stuttgart.

Verlag der J. G. Cotta'schen Buchhandlung.

1869.

Vorrede.

Im Eingange eines seiner Bücher beruft sich Kant auf den Vortheil, den Prolegomena gerade nach vollendetem Werke haben können, und ich hoffe, daß die vorliegende Schrift, welche nur nach Vollendung eines Theiles meiner Aufgabe ein allgemeines Bild derselben und ihrer letzten Ziele entwerfen soll, jenes Vortheiles ebenfalls nicht untheilhaft bleiben werde. Vieles, was auf dem mühsamen Wege analytischer Forschung, wo der Leser uns erst langsam zu den letzten Ergebnissen begleiten und sie mit uns suchen soll, den Ueberblick erschwert, kann wie von einem erhöhten Standpunkte aus übersehen werden, wenn der Weg zum Theil zurückgelegt ist; und zugleich ist es erwünscht, daß, was in einer systematischen Darstellung nicht ohne er-

schöpfende Beweise und nur mit allen Einschrän-
kungen, die das Einzelne bietet, behauptet werden könnte, zunächst anschaulich vorführen und
durch bloße Beispiele deutlich machen zu dürfen.

Ich gestehe zwar, die Forderung, daß alle
Gegenstände jedem Leser ohne Mühe verständlich gemacht werden sollen, keineswegs für berechtigt zu halten; ja ich würde glauben, einen
Gegenstand, wie der Ursprung der Vernunft ist,
verfälscht zu haben, wenn ich für dies tiefste
Problem den doch nur täuschenden Schein leichter
Verständlichkeit hätte erwecken wollen. Aber auf
der andern Seite kann es geboten erscheinen, so
viel als möglich dem Mißverständnisse zu be-
gegnen, das sich nur allzuleicht und fast nothwendig an der Gränze des Verständnisses ein-
zustellen pflegt. Ich habe daher versucht, die
Frage nach dem Ursprunge der Sprache, welcher
sich allerdings schon selbst zugleich als der der
Vernunft ergeben wird, so rein als möglich
von logischen und metaphysischen Problemen ab-
zulösen und bloß in geschichtlichem Sinne zu
beantworten.

Die richtige Auffassung einer Ansicht wird
durch nichts so sehr erschwert, als durch die
beständige Vermischung mit den stets unwillkür-
lich vorausgesetzten, hergebrachten und bisher
geltenden Meinungen. Aus diesem Grunde habe
ich auf die verschiedenen in der Sprachwissenschaft theils allgemein herrschenden, theils einander bekämpfenden Anschauungen mit einigen
Worten eingehen und meinen eigenen Standpunkt ihnen gegenüber bestimmter andeuten zu
müssen geglaubt.

Eine allgemeine Bemerkung in dieser Hinsicht
bitte ich mir hier zu verzeihen. Soweit ich entfernt bin, die Summe von Geist und Geschick
zu unterschätzen, die in den scharfsinnigen Versuchen des Alterthums und der neuesten Zeit bis
in die Gegenwart, die Frage nach dem Ursprunge
der Sprache zu lösen, niedergelegt ist, so kann
ich doch nicht umhin, es offen auszusprechen, daß
meine Absicht auf etwas Anderes gerichtet ist.
Ich wollte nicht untersuchen, welches der Ursprung
der Sprache etwa gewesen sein konnte, sondern,
welches er wirklich gewesen ist. Wenn ich zu

den mancherlei Hypothesen über diesen Gegenstand eine neue hätte fügen wollen, ich hätte
es wohl schon vor vielen Jahren thun können;
ja ich darf wohl sagen, daß es einiger Aufopferung bedurfte, es nicht zu thun. Allein nachdem sich mir die zwar etwas ferner winkende,
aber um so erhebendere Aussicht eröffnet hatte,
das tiefe Dunkel der Urzeit sich allmählich vor
mir in Tageslicht verwandeln zu sehen, so fühlte
ich mich unwiderstehlich gedrungen, mich nirgends
mit einem ungewissen Lichte zu begnügen; es
drängte mich, in den Räumen und Tiefen des
wunderbaren Baues der Sprache vor Allem Bahn
zu finden und weithin nach allen Seiten vorzu-
dringen, um sodann, wenn ich es unternähme,
ihn zu schildern, auch versichern zu können, daß
es nicht Phantasie, sondern eine in mühevoller
Sorgfalt geprüfte Erfahrung von dem wirklichen
Sachverhalte ist, worum es sich handelt; daß,
wo ich einen allgemeinen Satz über die Sprache
mit Bestimmtheit zu behaupten wage, so sehr
ich mir bewußt bin, irren zu können, ich mir
doch ebenso sehr bewußt sein kann, nichts zu

behaupten, was mir nicht als das belegbare Resultat zahlreicher, nach allen Seiten durchdachter Fälle gelten dürfte.

Ob es überhaupt eine Philosophie geben könne, die nach Beendigung aller Einzelforschung die allgemeinen Resultate einsammelt, wie die Biene den Honig, weiß ich nicht; ich kann nur sagen, daß es mir so leicht nicht geworden ist. Die Sprachwissenschaft steht, wie jeder Kenner weiß, nicht auf einem Standpunkte, der geeignet wäre, zu irgend welchen bestimmten philosophischen Resultaten den fertigen Stoff zu liefern. Daher besteht zwischen Sprachphilosophie und empirischer Sprachwissenschaft eine nicht wegzuläugnende Kluft. Auch Männer, welche mit Gelehrsamkeit und Ernst die philosophische Seite der Sprachwissenschaft behandelt haben, mußten davon ausgehen, eine Theorie aufzustellen, um dann nachzusehen, ob sie mit der Erfahrung stimmte; wobei denn sofort Nachhülfe Noth that, und Nachhülfe nicht genügte. Eine Erfahrungswissenschaft kann aber nur umgelehrt verfahren; sie kann beispielsweise für das Denken sich er-

gebende Resultate nur aus den sprachlichen Thatsachen einzeln folgern. Eine solche Erfahrungswissenschaft habe ich nicht vorgefunden. Man
wird mich wohl, wie ich hoffe, nicht mißver-
stehen. Niemand, ich darf es kühn sagen, kann
tiefer fühlen, was wir Grimm und Bopp und
allen den Männern verdanken, die die Erkenntniß von den Gesetzen des Sprachlautes und der
Sprachverwandtschaft für uns erschlossen, die
den ganzen unendlichen Stoff der Etymologie
vor uns aufgehäuft und gesichtet haben. Und
dennoch, wer glauben wollte, auch bloß auf dem
indogermanischen Sprachgebiete aus den uns vorliegenden reichhaltigen Sammlungen, aus der
Masse zahlreicher, zu einer ganzen großen Literatur angewachsener Arbeiten über diese Gegenstände das Material zu einer Sprachgeschichte
aufgreifen und die einzelnen Thatsachen nur zu
einem Ganzen aneinanderreihen zu können, der
würde die Natur der Aufgabe und den Zustand
der sprachlichen Wissenschaft gänzlich verkennen,
und die Hoffnungslosigkeit eines derartigen Unter-
nehmens bald gewahr werden. Für den ganzen

Kern der Sprache gilt es vielmehr, jede einzelne Thatsache selbst erst sicher zu stellen, da
in unzähligen Fällen die Sicherheit noch fehlt,
oder gar als falscher, täuschender Schein vorhanden ist. Ja, diejenige Seite der Sprachforschung, die nicht nur für philosophische Zwecke,
sondern auch für die endgültige Entscheidung jeder
Einzelfrage vor Allem in Betracht kommt, ist
fast ganz erst noch zu schaffen. Es ist die Lehre
von der Entwickelung der Bedeutungen, also die
Lehre von dem in der Sprache, die außerdem
nur Laut ist, auftretenden Denken und Empfinden.
Daß Gehör von hören kommt, wissen wir
allerdings; außerdem aber nur, daß hören im
Gothischen hausjan, im Sanskrit çru u. s. w.
heißt. Aber hat die Wurzel des Hörens diesen
Begriff von jeher bedeutet? Ist er ursprünglich,
ewig? Hier fängt das Nichtwissen an; und von
hier bis zu dem Ursprunge der Sprache ist noch
ein weiter Weg.

Daß es auch eine Lehre der Bedeutungen
geben könne, ja müsse, ist ein Gedanke, der in
der jüngsten Zeit öfter ausgesprochen worden ist.

Curtius z. B. erkennt in einer solchen „eine
Aufgabe von dem allerhöchsten Interesse, info-
fern ohne Zweifel in der Art, wie ein Volk
mit dem Geistigsten in der Sprache gewuchert
hat, sich das eigenthümliche Geistesleben dieses
Volkes auf eine besonders anschauliche Weise zu
erkennen geben wird." (Grundzüge der griechischen Etymologie, 2. Aufl. Leipzig 1866, S. 87.)
Allein er gesteht auch, daß vorläufig nichts anderes
übrig bleibt, als „die Ausführung einer theils
indogermanischen, theils speciellen Bedeutungslehre der Zukunft zu überlassen." „Freilich,"
fährt er fort, „gibt es hierfür auch einen noch
höheren Standpunkt. Wie es die allgemeine
Sprachforschung vielleicht einmal dahin bringen
wird, für allen Lautwandel ganz allgemeine,
allen Sprachen gemeinschaftliche Gesetze zu ermitteln, und wenigstens schon einzelne weit rei-
chende Spracherscheinungen — z. B. von W. von
Humboldt die Form des Dualis, von Pott
das Princip der Zahlensysteme und die „Dop-
pelung," von Schleicher der lautliche Vorgang
des von ihm so benannten Zetacismus — von

diesem Standpunkte aus beleuchtet sind, so wird
es auch möglich sein, allgemein menschliche Gesetze und Analogien für die Bedeutungsübergänge
aufzufinden, welche dann natürlich für die philosophische Sprachforschung, ja für die Philosophie
überhaupt von der größten Wichtigkeit sein werden.
Von welchem Interesse würde es z. B. sein, wenn
der im Allgemeinen anerkannte Satz, daß das
Abstractum aus dem Concretum hervorgeht, an
einer reichen Fülle von Beispielen der verschie-
densten Sprachen geprüft würde! Doch das sind
Fernsichten in die unzweifelhaft große und reiche
Zukunft der Sprachwissenschaft, mit deren Elementen wir noch genug zu thun haben. Warum
aber sollten wir uns nicht im Bewußtsein unseres
elementaren Standpunktes auch solche ferne Ziele
vorhalten?" Das Interesse der Bedeutungslehre,
die Möglichkeit allgemein menschlicher Gesetze für
dieselbe, die philosophische Wichtigkeit solcher
Gesetze: dies ist alles vollkommen richtig und
mit Scharfblick gesehen. Aber worin der Verfasser der etymologischen Grundzüge sich offenbar im Irrthum befindet, das ist die Meinung,

als ob auf dem bisherigen Wege und von den Grundsätzen aus, die er im Folgenden selbst als leitende aufstellt, eine solche Bedeutungslehre gefunden werden könnte, sowie auch, daß sie, von der sonstigen Sprachforschung abgesondert, gleichsam als ein ferner Lohn nach aller Mühe einer späten Zukunft in den Schoß fallen werde.

Wenn nichts gegen das ptolemäische System gesprochen haben würde, als seine philosophische Unerklärlichkeit und Unwahrscheinlichkeit, so hätten wir noch heute schwerlich ein anderes. Nicht, weil die so kleine Erde den Mittelpunkt des Weltalls bildete, und riesige Massen in ungeheurer Schnelligkeit sich um sie zu drehen hatten, nicht die complicirte Maschine der himmlischen Sphären, welche Alfons von Castilien sich erkühnte besser machen zu wollen, war es, was dem kopernikanischen Systeme den Sieg verschaffte, wo nicht gar es hervorrief; es war vielmehr ein ganz trockener, aber wichtiger Umstand: das ptolemäische System stimmte mit den Thatsachen nicht. Die Planeten liefen nicht, wie sie sollten, waren nicht, wo sie sein mußten. Daher denn Tycho de Brahe ein anderes System auch nach Copernikus sehr mit Recht versuchte, weil auch Dieser Tycho's vollkommeneren Beobachtungen nicht genug that; dies, und damit die Feststellung des Himmelssystemes, geschah erst durch Kepler. So ist es, zum Glück für die Menschheit, überall. Das Specielle und das Allgemeine, das Praktische und das Ideelle sind eigenthümlich mit einander verflochten; oft erntet das eine, was das andre säet. So würde sich denn auch die philosophische Fernsicht, welche Curtius sich ausmalt, schwerlich verwirklichen, wenn die Bedeutungslehre nichts als ein solcher sehr interessanter philosophischer Luxus wäre; wenn nämlich ohne sie die sprachlichen Planeten richtig laufen wollten. Ja, wer weiß, ob eine solche Lehre, wenn sie aufträte, auch nur Beachtung fände, selbst bei denen, die sie mit so vieler Einsicht fordern. Aber die Sachen stehen in Wirklichkeit nicht so; sie stehen so, daß man kaum zu viel behauptet, wenn man sagt: es ist kein Fortschritt in der Etymologie, es ist überhaupt keine Sicherheit in ihr möglich, wenn es nicht vorher gelingt, jene als ungewisses letztes Ziel erhofften Bedeutungsgesetze zu ermitteln.

Damit man nicht glaube, daß ich übertreibe, und der Etymologie eine unbestrittene wissenschaftliche Sicherheit etwa paradoxer Weise abzusprechen mich unterfange, so will ich eine der letzten Aeußerungen Schleicher's anführen, der gewiß mit unter den Ersten berechtigt war, vielmehr mit Bewußtsein vou seiuer Wissenschaft zu sprechen. „Wissenschaftlichen Werth," sagt Schleicher in seinem Vorworte zu einer etymologischen Arbeit von Johannes Schmidt (Weimar 1865) „hat in einer Erfahrungswissenschaft — und eine solche ist die Glottik so gut als jede andere Naturwissenschaft — nur das, was man objectiv wirklich wahrnimmt oder auf Grund sichergestellter Thatsachen erschließen kann, kurz das, was man weiß, nicht das, was man nur subjectiv vermuthet, aber nicht beweisen kanu. Leider aber ist, vor der Hand wenigstens, in etymologischen Fragen oft nur die Vermuthung, nicht der Beweis möglich... Bei dem Versuche, gegebene Worte etymologisch zu deuten, verfällt man nur zu leicht in den Fehler, die subjective Vermuthung zu überschätzen und an einem geistreichen Spiele Gefallen zu finden, das mit Wissenschaftlichkeit nichts gemein hat: denn bis jetzt fehlen noch zum größten Theile die wissenschaftlichen Erkenntnisse, welche für eine sichere Handhabung der Etymologie unerläßlich sind. Klar sind wir im Indogermanischen am meisten in Betreff der Wortbildung (Declinations- und Conjugationsformen): in der Lautlehre sind zwar zahlreiche Gesetze bis jetzt ermittelt, doch bleibt hier noch sehr viel zu thun übrig. Noch weniger aufs Reine gebracht ist die Lehre von der Stammbildung, schon aus dem Grunde, weil hier die eigentlich etymologische Frage, die Frage nach der Wurzel, mit eingreift. Die schwierige Lehre von den Wurzeln des Indogermanischen ist aber zur Zeit kaum in ihren Umrissen festgestellt, vor Allem thut Noth eine sorgfältige Erforschung der Wurzelformen des Indogermanischen. Man wird hierbei von den bereits sicher zerlegten Worten auszugehen haben, um von diesen aus weiter in

die dunkeln Gebiete vorzuschreiten. Schon der Ermittelung der Wurzelformen stellen sich Schwierigkeiten mancherlei Art in den Weg ... Und
nun vollends die Functionslehre, die Lehre von
der Grundbedeutung der Wurzeln und der Ab-
änderung der Bedeutung überhaupt im Lebens-
verlaufe der Sprache — hier herrscht noch völlige
Unsicherheit und Methodelosigkeit. Wie leicht
laffen sich meist Bedeutungen voraussetzen und
Bedeutungsübergänge vermuthen, wie schwer find
sie häufig als wirklich zutreffend nachzuweisen.
In der Bedeutungslehre ist noch fast gar nichts
von objectiv giltigen Gesetzen ermittelt, jeder
verfährt hier nach seinem Gutdünken ... Kurz,
die Anforderung, jedes vorgelegte Wort einer
indogermanischen Sprache in seine Elemente bis
zur Wurzel zu zerlegen und in seiner Entstehung
und Grundbedeutung nachzuweisen, setzt eine Stufe
der Vollendung der indogermanischen Sprachwissenschaft voraus, von deren Erreichung diese
noch weit entfernt ist. Auf die Gefahr hin, als
glottischer know-nothing verschrieen zu werden,
stehe ich nicht an, meine Ueberzeugung dahin

auszusprechen, daß wir vor der Hand die Etymologie nicht als eine Aufgabe der Glottik zu
betrachten haben; denn wer jetzt schon auf Etymologie ausgeht, kann sicher sein, daß er sich
in dilettantische Willkür verlaufen wird."

Welches ist nun der Grund der seltsamen
Erscheinung, daß einem der gründlichsten, ge-
lehrtesten, correctesten Etymologen, wie Schleicher,
am Schlusse seiner nur zu kurzen Laufbahn gleichsam als Endergebniß der Forschungen seines
Lebens der Gedanke erscheinen konnte, die Etymologie sei überhaupt, wenigstens einstweilen,
unmöglich? Man bemerke, daß hier nicht von
dem Ursprung der Sprache oder überhaupt von
philosophischen Problemen die Rede ist, sondern
von der einfachsten unumgänglichen Aufgabe
der Etymologie: der sicheren Entwickelung der
Grundbedeutung irgend einer Wurzel, also irgend
eines Wortes. Das Gefühl der Unsicherheit der
Etymologie, das gerade ihren größten Kennern
am Lebhaftesten zu werden pflegt (während Dilet-
tanten allerdings zuweilen mit einer beneidens-
werthen Sicherheit merkwürdige Dinge behaupten),

hat seine Ursachen nicht in einer mangelhaften
Forschung. Seine Ursache liegt in dem Wesen
der Sprache selbst. Die Grundbedeutung eines
Lautes ist nicht ungewiß, nicht zweifelhaft, in
welchem Falle eine fortgesetzte Wissenschaft diesen
Zweifel lösen könnte: sie ist von Natur unbestimmt, vieldeutig. Lautgesetze allein sind also
auch zur Bestimmung der Grundbedeutung eines
Wortes — so weit von einer solchen gesprochen
werden kann — nicht genügend. Sie bestimmen
immer nur einen Laut, führen von einem Laute
auf einen andern Laut: aber auch dieser ist wieder
unbestimmt, vieldeutig. Nur das Bedeutungs-
gesetz kann uns hier Licht bringen. In den erwähnten Sammlungen der großen Meister der
etymologischen Wissenschaft stehen allerdings in
unendlich vielen Fällen auch die richtigen Etymologien; aber da sie mitten unter irrigen stehen,
so bedarf es eines Kennzeichens, und ohne dieses
kann der erste Entdecker der Ableitung eines
Wortes selbst nicht sagen, ob seine Ableitung
gewiß, oder nur wahrscheinlich sei. Es kommt
nicht selten vor, daß eine Etymologie richtig

gefunden und von dem Finder selbst mit einer
unrichtigen vertauscht wird, da, wie gesagt, auf
diesem Gebiete Alles subjectiv ist.

Das Kennzeichen, von welchem ich spreche,
kann kein anderes sein, als die Ermittelung der
gesetzlichen Reihenfolge, in welcher Begriffe entstehen und nicht entstehen können. Ohne ein solches
Kennzeichen besitzt die Etymologie in Lautgesetzen,
Sprachvergleichung und Wortbildungslehre zwar
gleichsam Steuer und Ruder zur Fortbewegung,
aber der Compaß fehlt, und der Sprachforscher
weiß nicht, ob er dem Ursprunge des Begriffes
näher gekommen, oder nicht; es widerfährt ihm
daher nothwendigerweise nur allzuoft, daß nachdem er einen secundären Begriff auf einen ur-
sprünglicheren zurückgeführt, er bei der Herleitung
des letzteren wieder den umgekehrten Weg ein-
schlägt, und weiter von der richtigen Bahn ver-
schlagen wird, als er auf derselben gekommen war.

Der Punkt, von welchem aus jene Norm
für die Etymologie gefunden werden muß, liegt
keineswegs außerhalb derselben. Man pflegt in
der Regel von dem Etymologen einen gewissen

Tact, einen glücklichen Instinct zu fordern, der, was die Linguistik an sich nicht leisten kann, ersetzen und ergänzen soll. Indessen, die Etymologie braucht nicht mehr und nicht weniger Tact, als jede Beobachtungswissenschaft. Man muß das Einzelne richtig, mit gesunden Augen sehen; und wenn man nur recht viele Einzelnheiten richtig sieht, so müssen sich die Resultate von selbst ergeben. Der Fortschritt, der der Etymologie allerdings hier Noth thut, besteht in einer strengeren Methode, in einer schärferen und vollständigen Beobachtung der Einzelnheiten. Wir müssen in Beziehung auf die Begriffsentwickelung aus dem Allgemeinen und Nebelhaften heraustreten, von welchem diese Seite der Wissenschaft bis heute nicht freizusprechen ist. Wenn die Ursache der bisherigen allzu subjectiven Behandlungsweise in einer Grundanschauung gesucht werden sollte, so könnte es nur die sein, daß in dieser Region das Naturgesetz aufhöre, so sein wie sonst zu wirken, und daher auch eine feine Beobachtung hier nicht mehr möglich und geboten sei. Dies hängt allerdings mit der Vorstellung zusammen,

daß die Bedeutungsentwickelung der Wörter aus
einem mehr oder weniger verständigen Proceſſe
hervorgehe, wobei gar wunderliche Sprünge des
Wißes und der Phantaſie zu erwarten ſeien;
dieſen müßte denn freilich auf ebenſo wißige und
ebenſo phantaſiereiche Weiſe auf die Spur zu
kommen ſein. Da nun aber die Bedeutungsentwickelung durchaus unbewußt, unmerklich, allmählich vor ſich geht, ſo ſind auch bei ihrer
Ermittelung keine Sprünge der Phantaſie und
des Wißes geſtattet, ſondern nur die ſorgfältigſte,
nüchternſte Beobachtung. Man ſchlage einen be-
liebigen Artikel in Grimm's Wörterbuch auf:
ſoweit die Geſchichte eines Wortes belegt iſt,
welche Nothwendigkeit, welche Natur zeigt ſich
hier überall! Aber jenſeits dieſes Punktes ändert
ſich die Scene. Von den Documenten verlaſſen,
ſchweift der bisher ſo ſicher wandelnde große
Kenner unſerer Sprache in alle Räume der
Phantaſie hinaus, und macht das Unmögliche
möglich. Aber es iſt alle Ausſicht vorhanden,
auch in dieſer vermeintlichen Luftregion jenſeits
der bisherigen Grenzen einen guten, ſicheren Weg

zu bahnen. Bei der wahrhaft unübersehbaren Menge von Stoff, den die indogermanischen Sprachen in ihrer Gesammtheit bieten, würde ein indogermanisches Gesammtwörterbuch, mit derselben treuen Rücksicht auf alles Einzelne ausgeführt, wie wir es für einen einzigen Zweig eines einzelnen Stammes und für eine Zeit von nicht viel über drei Jahrhunderten hier unternommen sehen, und zugleich unter wechselseitiger Aufklärung der Geschichte eines Wortes in den verwandten Sprachen geordnet, allein schon einen überreichen Schatz von Belehrung enthalten. Nun ist der indogermanische Sprachstamm zwar bei weitem die schönste und reichste Blüthe des Sprachlebens der Menschheit, aber doch noch lange nicht die einzige; es gibt Sprachgebiete von dreitausendjähriger Geschichte außer ihm. Der semitische Sprachstamm vor Allem hat nicht nur, wie allbekannt, Literaturen von unvergleichlicher Wichtigkeit und höchstem Alterthume aufzuweisen, sondern seine Form hat auch von Alters her wissenschaftliche Bearbeitung, sein Geist hat seiner würdige Dolmetscher gefunden.

Daß wir nicht in der Lage sind, dieses kostbare Erbe der Vergangenheit zersplittern zu müssen, daß die Thatsachen, die sich aus gesonderter Entwickelung ergeben, zusammengehalten und zu einer Begriffsgeschichte vereinigt werden können, in welcher die gegenwärtig auf so äußerst verschiedener Stufe vorgefundenen Menschenstämme sämmtlich ihre Stelle finden, ist ein Umstand, der wohl schon aus den wenigen Beispielen, die ich darüber angeführt habe, gesichert erscheinen dürfte, und der einen weiteren, ja einen unbegrenzten Fortschritt der Etymologie möglich macht.

Die Lehre von der Begriffsentwickelung ist, wie man sieht, kein Zaubermittel, keine Wünschelruthe, auch kein Schlüssel zu einer Chiffreschrift, der alles in dieser Geschriebene mit einem Male auflöst. Begriffsgesetze sind kein Schema, das man nur an die Wirklichkeit zu legen brauchte, um sofort die ganze Natur des Geistes in System zu verwandeln. Sie sind ganz speciell, und müssen ganz speciell beobachtet werden. Wenn Curtius unter den allgemein menschlichen Ge-

setzen besonders solche an reichen Beispielen geprüft zu sehen wünscht, wie z. B. daß das
Abstractum aus dem Concretum hervorgehe, so
ist dies eine Aufgabe, die, bei der rein philosophischen Natur des Abstracten und Concreten,
der Sprache kaum etwas ihrem eigenen Geiste
Entsprechendes zu leisten im Stande ist. Eine
ganz specielle Thatsache wie die, daß der Name
der Gerste bei Indogermanen und Semiten
übereinstimmend von dem Begriffe borstenartig
emporgesträubten Haares ausgeht, scheint mir
mehr von jener lebensvollen Wirklichkeit zu
enthalten, die der Betrachtung der Natur ihren
unvergänglichen Reiz verleiht. Ja ich kann es
nicht läugnen, daß ich nicht ohne einiges Wider-
streben in der vorliegenden Schrift allgemeine
Umrisse von einem Bilde zu geben versucht habe,
dessen unglaubliche und lebendige Vereinzelung
über alle Darstellung hinausgeht; und ich habe
es wenigstens nicht unterlassen wollen, einzelne
Punkte in den Anmerkungen detaillirter und
damit der Natur und dem Leben näher tretend
zu behandeln.

Hoffentlich bedarf es nach allem Bisher-
gesagten nicht mehr der Versicherung, wie fern
mir der Anspruch auf Unfehlbarkeit jedes einzelnen Resultates auf dem Gebiete der Begriffsgeschichte liegen muß. Es entspricht der Natur
alles aus der Beobachtung Geschöpften, durch
fortschreitende Beobachtung berichtigt zu werden,
und je fester ich von der Ueberzeugung durch-
drungen bin, daß die Begriffsgeschichte eine
Erfahrungswissenschaft ist, um so mehr muß ich
jede neue Erfahrung als einen Gewinn, jede
Widerlegung eines Irrthums auf diesem Wege
als wahre Bereicherung, ja als eine Bestätigung
meiner Grundansicht begrüßen.

Was das Ganze und Große betrifft, so
sehe ich getrost der Entscheidung der Zukunft
entgegen. Es ist in Betreff der Sprache keine
Gewißheit denkbar, die sich nicht auf Wort-
verwandtschaft und auf Wortabstammung bezöge.
Ein Verhältniß zwischen Laut und Object würde
vom sprachlichen Standpunkte gar nicht zu ermitteln
sein. Wären z. B. die Wurzeln Schallnachahmungen, so wäre die Sprachforschung mit

ihnen zu Ende; denn es gibt für die Etymologie kein wissenschaftliches Mittel, den nachge-
ahmten Schall herauszuerkennen und der Nachahmung gegenüberzustellen. Ebenso, wenn ein
einzelnstehendes Wort, ein Thiername z. B., nach
diesem Principe zu Stande gekommen wäre.
Würde Kuh oder das griechische *bus* etwa Nachahmung des brüllenden Rindes sein, so könnte
dieser Vorgang nur errathen, und von Demjenigen, dem die Aehnlichkeit einleuchtet, geglaubt werden; ein Wissen kann es begreiflicherweise hierüber nicht geben. Dagegen kann und
muß man allerdings wissen, daß der Vocal
in beiden Wörtern, dem deutschen und griechischen, nicht ursprünglich ist, und daß die im
Sanskrit entsprechende Form gaus lautet, welcher wahrscheinlich eine ältere gvavs zu Grunde
liegt. Und wenn es nicht gelingt, das Wort
in dieser Form mit Sicherheit an eine Wurzel
anzuschließen, so hört das Wissen in Betreff
desselben hiermit unausbleiblich auf. Darum
wird dann eine etymologische Wurzelforschung,
eine wissenschaftliche Lehre von dem Ursprung

der Sprache erst mit dem Nachweis möglich, daß die gesetzliche Verkettung der Formen und Begriffe unendlich viel tiefer zurückgeht, als man bisher angenommen, ja daß dieselbe erst mit dem Anfange der ganzen Sprachentwickelung wirklich zu Ende ist. Falls dieser Satz wahr ist, und er ist es nur, wenn zwischen Wurzeln und Objecten kein innerer Zusammenhang besteht, wenn die Wurzeln nicht Schallnachahmungen oder sonstige Reflexe auf Eindrücke der Außenwelt, sondern Entwickelungen aus einfachen Elementen sind — dann ist ein gewaltiger Boden für die Wissenschaft erobert und die letzten, großen Fragen sind damit ein- für allemal dem nach subjectiven Tendenzen hin- und herschwankenden Meinungskampfe entrückt. Die Allgemeingültigkeit, welche den Gesetzen der Begriffsentwickelung gerade in den ältesten Bestandtheilen am Meisten zukommt, hebt die Sprache aus dem Bereiche nicht nur einer bloß individuellen, psychologischen, sondern selbst aus dem einer nationalen Erscheinung. Nicht mehr die Völker, die Menschheit in ihrem Auftreten und

Gesammtdasein auf Erden, in der Entstehung und Entfaltung ihres Sonderwesens als einer aus der Thierwelt heraustretenden vernunftbegabten Gattung bildet einen paläanthropischen, einen in gewissem Sinne kosmischen Vorwurf universeller Sprachbetrachtung.

Schwerlich wird, wer die Untersuchung nach wahrhaft wissenschaftlichen Grundsätzen unbefangen führt, durch sie zu andern Ergebnissen gelangen können, als die sind, welche sich mir mit unumstößlicher Gewißheit festgestellt haben. Die Sprache ist Entwickelung, nicht Entartung; sie beginnt nicht mit Reichthum, Mannigfaltigkeit und Vollkommenheit, sondern mit dem geringfügigsten, unscheinbarsten Besitz. Ihr gebührt unter allen menschlichen Geistesvermögen geschichtlich der erste Rang; sie ist die Quelle der Vernunft. Aus, an und in ihr hat sich die Vernunft selbst, nach den allenthalben im Universum herrschenden Gesetzen der Causalität, langsam und naturgemäß entwickelt. Sie selbst aber, die Sprache, ist nicht dem Ohre, dem Schalle, sondern dem Auge und dem Licht entsprungen. Nicht

das brüllende Thier war es, das, Benennung
fordernd, dem Menschen der Urzeit gegenüber-
trat, sondern die Welt offenbarte sich mit ihrem
Reichthume an Gestalten und Farben der allmählich zur Erfassung ihrer Schönheit heran-
reifenden Seele. War der Blitz des Himmels,
war die aufbrechend sich erschließende Knospe
für das Ohr der jugendlichen Menschheit Ex-
plosion? Nein, nicht von brüllenden Ungethümen
aufgefangen, nicht von den Schreckniffen einer
in Schmetterlauten das Herz bestürmenden Natur
erzwungen, entsprang jene hohe, seelenvolle
Schöpfung, der Stolz des Weltalls. In ihrem
Leben und Wachsen ist heiliger Friede, in stillem,
geheimem Werden steigt der Saft bildend zu
frischen Augen empor, und mit jeder neuen Knospe
entfaltet ein Gedanke sein wunderbares Dasein.

Doch zu lange vielleicht habe ich schon auf
der Schwelle verweilt; es ist Zeit, zu der Anschauung dieser Entwickelungen selbst zu gelangen.
Ein entsprechendes Bild von ihnen entworfen
zu haben, ist mehr als ich hoffen darf; aber
der Gegenstand ist groß genug, um, so denke

ich, wohl auch in unzulänglichem Nachbilde manches Gemüth zur Theilnahme zu entzünden, und manchen ernsten Geist mit erhöhter Begierde in das Räthsel unseres Daseins zu versenken, welches der Gegenstand unserer höchsten menschlichen Aufgabe und zugleich unserer edelsten Sehnsucht ist.

Der Ursprung der Sprache.

I.

Die Sprache war schon für frühe Jahrhunderte ein anziehender Gegenstand tiefsinnigen Nach-
denkens, ein ernstes und wichtiges, aber auch
räthselvolles Problem. Unter den mannigfaltigen
Fragen, zu denen die Betrachtung dieses ganz
einzigen geistigen Naturgebildes im Laufe der Geschichte anregte, ist es vor Allem das Wunder
des Verständnisses, welches uns heute am Leben-
digsten in das Auge springt und nicht nur dem
Forscher, sondern Jedermann, der seine Aufmerk-
samkeit einen Augenblick auf dieses Räthsel wendet,
eine gerechte Verwunderung abgewinnen muß. Ist
es nicht in der That erstaunlich, daß wir durch
die verschiedenartige Combination einiger wenigen
Laute alle Gegenstände rings um uns mit Tausenden von Namen benennen, alle ihre Zustände,

Geiger, Ursprung der Sprache.   1

Bewegungen und Veränderungen schildern, und sogar, was nur in uns selbst verborgen schlummert, was wir denken und fühlen, einander mittheilen können, und dabei gewiß sind, niemals ganz unverstanden zu bleiben? Was für eine Zaubergewalt haben diese Zeichen? Und wer hat sie geschaffen und ihnen diese Gewalt eingeflößt?

Die ältesten Versuche, auf diese Fragen eine allgemeine Antwort zu geben, wagten die griechischen Denker. Für diese hatten dieselben noch eine fernere Bedeutung, indem sie nämlich danach zu entscheiden bestrebt waren, welchen Werth ein richtiges Verstehen und Gebrauchen der Worte für die Erkenntniß der Dinge habe; und sie kamen zunächst von dieser mehr praktischen Seite aus zu den beiden verschiedenen Lösungen des Sprachproblems, die sich fast seit dem Beginn der griechischen Philosophie in beständigem Kampfe durch das ganze Alterthum gegenübertraten, und deren Losungsworte Physis und Thesis, Natur und Erfindung waren. Nach der letzteren Meinung ist die Sprache ein Product menschlicher Uebereinkunft. Daß ein Wort etwas Bestimmtes bedeutet und

nichts Anderes, ist eine Folge willkürlicher Fest=
setzung der Spracherfinder; die Worte sind ver=
einbarte Zeichen der Gedanken. Das Verständniß
ist ein Resultat der Verständigung.

Als Repräsentanten der Thesis können wir
im Alterthum Demokrit und Aristoteles
anführen. In der neueren Zeit steht am Entschie=
densten Harris in seinem scharfsinnigen und be=
rühmten Buche „Hermes“ auf diesem Standpunkte.
„Man könnte versucht sein,“ sagt er, „die Sprache
eine Art von Gemälde des Universums zu nennen,
in welchem die Worte gleichsam die Figuren oder
Bilder aller Einzelheiten sind. Und doch läßt sich
zweifeln, in wie weit dies wahr wäre. Denn
wenn Gemälde und Bilder sämmtlich Nachahmun=
gen sind, so muß Jeder, der mit der natürlichen
Fähigkeit begabt ist, das Original zu erkennen,
durch dieselbe Fähigkeit auch seine Nachahmungen
zu erkennen im Stande sein. Nun muß aber
keineswegs Derjenige, der irgend ein Wesen kennt,
auch seinen lateinischen oder griechischen Namen
kennen. In Wahrheit ist jedes Mittel, ein Ding
für einen Andern zur Darstellung zu bringen, ent=

weder von seinen natürlichen Eigenschaften hergenommen, und dann ist es eine Nachahmung;
oder von andern, ganz willkürlichen Zufälligkeiten:
dann ist es ein symbolisches Zeichen. Wenn man
nun zugesteht, daß bei weitaus der Mehrzahl der
Dinge keine natürliche Eigenschaft in articulirten
Lauten besteht, und doch Dinge aller Art durch
solche Laute dargestellt werden, so folgt, daß die
Worte nothwendig symbolische Zeichen sein müssen,
da sie Nachahmungen nicht sein können." Er beantwortet sodann mit der Schwierigkeit der Nachahmung aller und der Unmöglichkeit der Nachahmung mancher Objecte, während dagegen alle
durch Symbole bezeichnet werden können, die Frage:
„warum bei dem Verkehre der Menschen die Nachahmung verworfen, und die symbolische Bezeichnung vorgezogen worden sei." Darin findet er
denn auch die Ursache, warum die Sprache lebig-
lich in Uebereinkunft (compact), und nicht in der
Natur gegründet sei; denn dies sei mit allen
Symbolen der Fall, von denen die Worte eine
Unterart seien. [1]

Eine vom Standpunkte unserer gegenwärtigen

Ueberzeugung geradezu unüberwindliche Schwierigkeit hat diese Erklärung für unsere Zeit unhalt-
bar gemacht. Wie soll man sich eine Verständigung denken, die das eigentliche Verständigungs-
mittel erst hervorbringen muß? Stand den Menschen
vor der Sprache eine andere Art der Mittheilung,
etwa durch Geberden, zu Gebote, vollkommen genug, um die Erfindung einer Lautsprache zu er-
möglichen? In diesem Falle, sollte man denken,
hätten die Menschen sich wohl mit den gegebenen
Mitteln begnügen können, da dieselben zweckmäßi-
ger gewesen sein müßten, als unsere heutige
Sprache selbst. Denn man stelle sich heutzutage
einmal die Aufgabe, eine Universalsprache auch
nur zwischen den gebildetsten Völkern zu verabreden.
Die Schwierigkeit wird so groß sein, daß das
ganze Unternehmen bald als ein phantastisches
verworfen werden würde. Und doch wäre in dieser
Hinsicht Mancher schon mit einem dürftigen Noth-
behelf zufrieden, während die Sprache, wie sie
unsere im Dunkel urweltlicher Jahrtausende verborgenen Vorfahren zu erfinden hatten, den Stem-
pel der bewundernswerthesten Meisterschaft, der

feinſten und vollendetſten, von keinem Sprachfor=
ſcher je ganz ergründeten Vernunftmäßigkeit an
ſich trägt. Auch iſt das, was die Theorie einer
künſtlichen Sprachentſtehung für die Anſchauung
der letzten Jahrzehnte ſo wenig genügend, ja un=
möglich erſcheinen läßt, gerade die immer deut=
licher werdende Einſicht von der in der Sprache
verborgenen Vernunft. Der Inhalt der Sprache
— das iſt eine immer klarer zu Tage tretende
Wahrheit — läßt ſich von ihrer Form nicht in
der Weiſe trennen, daß ein mit dem ganzen weſent=
lichen Vorrath der Begriffe ausgeſtattetes Men=
ſchengeſchlecht nur die äußeren Zeichen zu gegen=
ſeitiger Mittheilung zu erfinden brauchte; die
Sprache hat unläugbar irgend eine Beziehung zum
Denken ſelbſt, wie man ſich dieſelbe auch vorſtellen
möge, und die Sprachſchöpfer der Urzeit, die
dieſe Beziehung erſt herſtellten, hatten dies mit
Hülfe eines Denkens zu bewerkſtelligen, welches
ſeinerſeits von der Sprache noch nicht unterſtützt war.

Dieſer Schwierigkeit ſcheint nun allerdings die
Theorie der **Phyſis**, wenigſtens in einigen ihrer
Formen, leichter entgehen zu können. Nach dieſer

Theorie ist zwischen dem Laut und dem, was er bezeichnet, ein natürliches Band; der Mensch verfällt der Natur der Sache nach auf bestimmte Laute, und diese werden mit ebenso großer Naturnothwendigkeit verstanden, wie ein Schrei uns von dem Schmerze Dessen unterrichtet, der ihn ausstößt, oder wie die Nachahmung eines Thierlautes uns ohne Verabredung an das bestimmte Thier erinnert. Wenn die gegenwärtigen Worte uns nichts mehr von diesem naturnothwendigen Zusammenhange zwischen Laut und Sache verrathen, so konnte derselbe doch etwa in dem Urzustande der Sprache und unter ihren Urbestandtheilen statt gefunden haben.

Die Theorie, daß zwischen Wort und Sache ein natürlicher Zusammenhang bestehe, und daß es jedesmal einen in der Natur der Sache liegenden Grund haben müsse, warum ein Wort gerade Dies und nichts Anderes bedeute, war im Alterthum sehr verbreitet; Epikur faßte diesen Zusammenhang als einen Naturzwang: die ältesten Wörter waren nach ihm Naturlaute, ebensowohl wie das Stöhnen, Husten oder Niesen. In der

Neuzeit ist die Theorie der Physis vor Allem
durch Herder vertreten. Er hat seine Vorstellung
von der Entstehung der Sprache am Bestimmtesten
in folgenden Worten ausgesprochen:

„Der Mensch beweiset Reflexion, wenn die
Kraft seiner Seele so frei wirket, daß sie in dem
ganzen Ocean von Empfindungen, der sie durch
alle Sinnen durchrauschet, Eine Welle, wenn ich
so sagen darf, absondern, sie anhalten, die Auf=
merksamkeit auf sie richten, und sich bewußt sein
kann, daß sie aufmerke. Er beweiset Reflexion,
wenn er aus dem ganzen schwebenden Traum der
Bilder, die seine Sinne vorbeistreichen, sich in ein
Moment des Wachens sammeln, auf Einem Bilde
freiwillig verweilen, es in helle ruhigere Obacht
nehmen, und sich Merkmale absondern kann, daß
dies der Gegenstand und kein anderer sei. Er be=
weiset also Reflexion, wenn er nicht blos alle
Eigenschaften lebhaft oder klar erkennen, sondern
Eine oder mehrere als unterscheidende Eigenschaften
bei sich anerkennen kann: der erste Actus dieser
Anerkenntniß [Apperception] giebt deutlichen Be=
griff; es ist also das erste Urtheil der Seele und —

Woburch geschah diese Anerkennung? Durch
ein Merkmal, das er absondern mußte, und das,
als Merkmal der Besinnung, deutlich in ihm blieb.
Wohlan, so lasset uns ihm das σῆμα zurufen!
Dies erste Merkmal der Besinnung war Wort der
Seele. Mit ihm ist die menschliche Sprache erfunden.

Lasset jenes Lamm, als Bild, sein Auge vor=
beigehen: ihm, wie keinem andern Thiere. Nicht
wie dem hungrigen, witternden Wolfe; nicht wie
dem blutleckenden Löwen — die wittern und
schmecken schon im Geiste: die Sinnlichkeit hat sie
überwältigt, der Instinct wirft sie darüber her....
Nicht so dem Menschen. So bald er in das Be=
bürfniß kommt, das Schaf kennen zu lernen, so
störet ihn kein Instinct; so reißt ihn kein Sinn
auf dasselbe zu nahe hin, ober davon ab: es
steht da, ganz wie es sich seinen Sinnen äußert.
Weiß, sanft, wollicht — seine besonnen sich übende
Seele sucht ein Merkmal; das Schaf blöcket, sie
hat ein Merkmal gefunden: der innere Sinn wirket.
Dies Blöcken, das ihr den stärksten Eindruck macht,
das sich von allen andern Eigenschaften des Be=
schauens und Betastens losriß, hervorsprang, am

tiefften einbrang, bleibt ihr. Das Schaf kommt wieder. Weiß, fanft, wollicht — fie fieht, taftet, befinnet fich, fucht Merkmal — es blöckt, und nun erkennt fie's wieder! „Du bift das Blödende!" fühlt fie innerlich, fie hat es menfch= lich erkannt, da fie es deutlich, das ift mit einem Merkmal erkannte und nannte.... Der Schall des Blödens, von einer menfchlichen Seele als Kennzeichen des Schafs wahrgenommen, ward kraft diefer Beftimmung Namen des Schafs, und wenn ihn nie feine Zunge zu ftammeln ver= fucht hätte. Er erkannte das Schaf am Blöcken: es war ein gefaßtes Zeichen, bei welchem fich die Seele einer Idee deutlich befann — Was ift das anders als Wort? Und was die ganze menfch= liche Sprache, als eine Sammlung folcher Worte? Käme er alfo auch nie in den Fall, einem an= dern Gefchöpf diefe Idee zu geben, und alfo dies Merkmal der Befinnung ihm mit den Lippen vor= blöden zu wollen oder zu können; feine Seele hat gleichfam in ihrem Inwendigen geblödt, da fie diefen Schall zum Erinnerungszeichen wählte, und wieder geblödt, da fie ihn daran erkannte — die

Sprache ist erfunden! eben so natürlich und dem
Menschen nothwendig erfunden, als der Mensch
ein Mensch war." [2]

Herder stellte diese seine Theorie sowohl dem
übernatürlichen Standpunkte entgegen, als auch
der von ihm angeführten Ansicht, daß der Mensch
die Sprache den Thieren abgelernt, und alsdann
nur höher als diese vervollkommnet habe: zwei
schroffen Extremen, die die menschliche Sprache
auf Gott und auf das Thier zurückführten. Er
wendete sich aber ebenso auch gegen die Meinung
Condillac's, der, ähnlich wie Epikur, der
Sprache einen menschlichen Ursprung, nämlich aus
Empfindungslauten zuschrieb, und endlich
gegen die Annahme eines Princips b l i n d e r
Nachahmung der Natur und also auch ihrer
Schälle.

Auch W i l h e l m v o n H u m b o l d t huldigte
der Hypothese der Schallnachahmung, und spricht
sich darüber in einer Form aus, die, wie Lersch
bemerkt, [3] sich besonders an die Lehren der Stoiker
anschließt. In seiner Abhandlung „über die Ver=
schiedenheit des menschlichen Sprachbaues und ihren

Einfluß auf die geistige Entwickelung des Menschen-
geschlechts" lesen wir:

„Die äußeren, zu allen Sinnen zugleich
sprechenden Gegenstände, und die inneren Bewegungen des Gemüths bloß durch Eindrücke auf das
Ohr darzustellen, ist eine im Einzelnen größen-
theils unerklärbare Operation. Daß Zusammenhang zwischen dem Laute und dessen Bedeutung vorhanden ist, scheint gewiß; die Beschaffenheit dieses Zusammenhanges aber läßt sich selten
vollständig angeben, oft nur ahnden, und noch
viel öfter gar nicht errathen. Wenn man bei den
einfachen Wörtern stehen bleibt, da von den zu-
sammengesetzten hier nicht die Rede sein kann, so
sieht man einen dreifachen Grund, gewisse Laute
mit gewissen Begriffen zu verbinden, fühlt aber
zugleich, daß damit, besonders in der Anwendung,
bei weitem nicht Alles erschöpft ist. Man kann
hiernach eine dreifache Bezeichnung der Begriffe
unterscheiden:

1. Die unmittelbar nachahmende, wo
der Ton, welchen ein tönender Gegenstand hervorbringt, in dem Worte soweit nachgebildet wird,

als articulirte Laute unarticulirte wieder zu geben
im Stande sind. Diese Bezeichnung ist gleichsam
eine malende; so wie das Bild die Art darstellt,
wie der Gegenstand dem Auge erscheint, zeichnet
die Sprache die, wie er vom Ohre vernommen
wird. Da die Nachahmung hier immer unarticulirte Töne trifft, so ist die Articulation mit dieser
Bezeichnung gleichsam im Widerstreite, und je
nachdem sie ihre Natur zu wenig oder zu heftig
in diesem Zwiespalte geltend macht, bleibt entweder zu viel des Unarticulirten übrig, oder es
verwischt sich bis zur Unkennbarkeit. Aus diesem
Grunde ist diese Bezeichnung, wo sie irgend stark
hervortritt, nicht von einer gewissen Rohheit freizusprechen, kommt bei einem reinen und kräftigen
Sprachsinn wenig hervor, und verliert sich nach
und nach in der fortschreitenden Ausbildung der
Sprache.

2. Die nicht unmittelbar, sondern in einer
dritten, dem Laute und dem Gegenstande gemein-
schaftlichen Beschaffenheit nachahmende Bezeichnung.
Man kann diese, obgleich der Begriff des Sym-
bols in der Sprache viel weiter geht, die sym-

bolische nennen. Sie wählt für die zu bezeich=
nenden Gegenstände Laute aus, welche theils an
sich, theils in Vergleichung mit andern, für das
Ohr einen dem des Gegenstandes auf die Seele
ähnlichen Eindruck hervorbringen, wie stehen,
stätig, starr den Eindruck des Festen, das San=
skritische li, schmelzen, auseinandergehen, den des
Zerfließenden, nicht, nagen, Neid den des
fein und scharf Abschneidenden. Auf diese Weise
erhalten ähnliche Eindrücke hervorbringende Gegen=
stände Wörter mit vorherrschend gleichen Lau=
ten, wie Wehen, Wind, Wolke, Wirren,
Wunsch, in welchen allen die schwankende, un=
ruhige, vor den Sinnen undeutlich durcheinan=
dergehende Bewegung durch das aus dem, an sich
schon dumpfen und hohlen u verhärtete w ausge=
drückt wird. Diese Art der Bezeichnung, die auf
einer gewissen Bedeutsamkeit jedes einzelnen Buch=
staben und ganzer Gattungen derselben beruht, hat
unstreitig auf die primitive Bezeichnung eine große,
vielleicht ausschließliche Herrschaft ausgeübt....

3. Die Bezeichnung durch Lautähnlichkeit nach
der Verwandtschaft der zu bezeichnenden Begriffe.

Wörter, deren Bedeutungen einander nahe liegen, erhalten gleichfalls ähnliche Laute; es wird aber nicht, wie bei der eben betrachteten Bezeichnungs= art, auf den in diesen Lauten selbst liegenden Charakter gesehen." [4]

Die Theorie der Schallnachahmung in einer oder der andern Form hat unter den Sprachfor= schern der alten und neuen Zeit die meisten An= hänger gefunden, und da ein Vorgang in der Außenwelt keinen andern Vergleichungspunkt mit einem Worte bietet, als sofern er etwa hörbar, und zwar mit einem dem Worte irgendwie ähn= lichen Klange hörbar ist, so ist es begreiflich, wie gerade diese Hypothese etwas besonders Einleuch= tendes und Gewinnendes haben mochte.

Aber — es ist dies einer der seltsamen Wider= sprüche zwischen der Natur und der Erklärung, die die menschliche Speculation so gerne über sie aus= denkt, — gerade diese wohl annehmbare, an sich nicht unwahrscheinliche Hypothese wurde von den Thatsachen gänzlich im Stiche gelassen. Eine ein= fache Schlußfolgerung hatte gezeigt, daß der Zu= sammenhang zwischen Laut und Begriff kein will=

kürlich festgesetzter, verabredeter sein kann. Aber
der zweite Weg, diesen Zusammenhang für einen
natürlichen, nothwendigen zu erklären, wird von
der sprachlichen Einzelforschung ganz abgeschnitten.

Das Auftreten der Sprachforschung, als einer
selbstständigen, von allen praktischen und äußerlichen
Zwecken losgelösten Wissenschaft, am Anfange dieses
Jahrhunderts, einer Wissenschaft von den vorhi=
storischen Zuständen der Völker, ist ein großes,
für die Geschichte der Menschheit unglaublich wich=
tiges Ereigniß. Die Sprachvergleichung stürzte die
bisherigen sehr dunkeln Vorstellungen von den älte=
sten Völkerbildungen und Wanderungen völlig um.
Man lernte zwischen verwandten und nicht ver=
wandten Völkern unterscheiden, und erlangte ein
weit sichereres und feineres Mittel für die Einthei=
lung der Menschheit in Stämme, als naturhi=
storische Kennzeichen bis dahin an die Hand ge=
geben hatten. Man sah in weiter, schwindelnder
Ferne der Urzeit die Hoffnung auf eine bestimmte
Kenntniß von Zuständen eines Alterthums winken,
über dessen bloßes Dasein bis dahin alle Geschichte
geschwiegen hatte. Die Uebereinstimmung räumlich

in ihrem Gebiete weit getrennter Sprachen zwang
zu der Annahme, daß Inder, Perser, Griechen,
Slaven, Germanen, Römer und Celten dereinst
ein einziges, nur eine Sprache redendes Volk gewesen seien, und der Vorrath von Wörtern, die
allen diesen Sprachen gemeinsam sind, gestattete
Schlüsse auf den Zustand jenes Urvolkes.[3] Man
schloß, daß es Ackerbau und Viehzucht getrieben,
die meisten unserer Hausthiere gekannt, Ruder-
schiffe besessen haben muß. Es wurde von Kö-
nigen beherrscht, da das lateinische rex, im gothischen reiks, dem indischen „Radscha" und den
deutschen Formen reich und Reich nebst der Silbe
rich in Heinrich, Friedrich und Richard, in Gän-
serich, Wütherich u. a.[4] nahe verwandt ist, und
seiner wesentlichen Bedeutung und Form nach
offenbar schon der Urzeit angehörte. Für den
Fortschritt der Sprachbetrachtung selbst aber ergab
sich ein ungemein glücklicher Umstand in der genialen Leistung der Inder, welche auf diesem Gebiete die wahren Lehrer Europa's geworden sind,
und durch den Aufschluß, den sie über den Bau
ihrer alten Sprache, des Sanskrit, gewonnen hatten,

uns zugleich für das Verständniß unserer eigenen, mit
jener innig verwandten, die trefflichsten Vorarbei-
ten überlieferten. Die indischen Grammatiker haben
schon vor mehr als zweitausend Jahren die Wörter
ihrer Sprache sämmtlich aus Verbalwurzeln abzuleiten versucht; sie haben diese Wurzeln zu Ver-
zeichnissen zusammengestellt, welche geeignet waren,
allen Sprachen des Stammes zu Grunde gelegt
zu werden. Hierdurch brach sich unter den europäischen Sprachforschern sehr rasch die Ueberzeugung Bahn, daß der ganze gewaltige Wortreich-
thum der Sprache aus einer weit geringeren Zahl
von Elementen, den Wurzeln, entsprungen sei, und
daß diese wesentlich nur Zeitwortbegriffe
enthalten.

Unter den Indern hat der Kampf der Par-
teien, der mit dem Siege dieser hochwichtigen
Wahrheit endigte, Streitfragen mit sich geführt, die
zu den interessantesten auf dem Gebiete der Sprachen-
geschichte gehören. Während die Griechen das Verhältniß des Wortes zu seinem Gegenstande unter-
suchten und das Vorhandensein oder Nichtvorhan-
densein eines inneren Grundes in Erwägung zogen,

in deſſen Folge beſtimmte Laute beſtimmte Dinge
bezeichneten, hatten die Inder noch eine ganz andere
Seite der Frage vor Augen, die zu der griechiſchen
Betrachtung eine bedeutungsvolle Ergänzung bil=
det, nämlich das Verhältniß der Benennungen von
Dingen zu ihrem Urſprunge in Thätigkeitsbe=
griffen. Es handelte ſich hier nicht um den Zu=
ſammenhang zwiſchen Ding und Wort, und auch
nicht um den zwiſchen Begriff und Laut, ſondern
nur um das Verhältniß der abgeleiteten Begriffe
zu den Wurzelbegriffen. Die Einſchränkungen, unter
welchen die Schule des Gargja die Ableitung
der Subſtantiva von Verben gelten laſſen wollte,
gehen von ſehr begründeten Bedenken aus, und
treffen ein nicht weniger tiefes Dilemma, als die
Einwürfe griechiſcher Philoſophen gegen die An=
nahme eines conſtanten Naturzuſammenhangs zwi=
ſchen Wort und Sache. Warum, wenn z. B. das
Gras, triṇa, vom Hindurchbringen; das Pferd,
açva, vom Zurücklegen eines Weges benannt iſt,
heißen nicht alle Dinge, die hindurchbringen, triṇa,
alle, die einen Weg zurücklegen, açva? Und
umgekehrt: warum ſollten es gerade dieſe Thätig=

leiten sein, von denen ein bestimmter Gegenstand
benannt wird, und nicht auch alle andern, die
ihm eben so gut zukommen? Warum heißt der
Pfeiler nicht der Höhlungruher, nicht der Füger?
Solchen und ähnlichen Einwürfen gegenüber be-
riefen sich die consequenten Etymologen ganz em=
pirisch auf die Thatsachen, auf augenscheinliche
und unbezweifelbare Fälle. Der Zimmermann heißt
taxan „Verfertiger," der Bettelmönch „Umherge=
her," der Saft des Zuckerrohrs „Beleber," — wie
eau de vie — obschon es auch noch Andere gibt,
die verfertigen, und andere Dinge, denen eine
belebende Kraft eigen ist.' „Man kann — fügt
hier ein späterer Commentator hinzu, dessen Worte
Max Müller in seiner berühmten „history of
ancient Sanskrit literature" mittheilt — man
kann fragen, warum es so ist. Aber dann muß
man die Welt fragen, mit der Welt hadern, da
nicht ich dieses Gesetz gemacht habe. Alle Haupt=
wörter kommen von Zeitwörtern, aber die Wahl
der benennenden Thätigkeit ist regellos. Höchstens
findet eine gewisse Regelmäßigkeit in Beziehung
auf Diejenigen statt, die bestimmte Handlungen

vorzugsweise verrichten… Wenn man sagt, mehrere Dinge hätten einen einzigen Namen, und ein einziges Ding hätte mehrere Namen haben können, so läßt sich nur antworten: es ist in der wirklichen Sprache nicht so; die Worte sind in der Sprache nach ihrer individuellen Natur fixirt."[8]

Sowohl Rudolph Roth als Max Müller bemerken zu diesen Stellen, daß die moderne Sprachwissenschaft auf solche Fragen ebenfalls keine andere Antwort gibt. Max Müller findet, der indischen Darstellung zustimmend, hier den Punkt in der Sprachgeschichte, wo die Sprachen sich nicht auf organische Gesetze zurückführen lassen, wo die Sprachwissenschaft aufhöre, eine strenge Wissenschaft zu sein, und in das Gebiet der Geschichte eintrete.

Wahrscheinlich in Folge indischen Einflusses gelangten für die semitischen Sprachen die arabischen und hebräischen Grammatiker des frühen Mittelalters in Betreff der Wurzeln zu einem ganz ähnlichen Resultate, und schon hierdurch mußte dasselbe, bei der nicht seltenen Bekanntschaft mit der Einrichtung z. B. der älteren hebräischen Wör-

terbücher, leichten Eingang finden und die Ver=
muthung für sich gewinnen, das Grundgesetz für
die Zerlegung der Sprache in ihre Bestandtheile
überhaupt zu sein. Die alten hebräischen Wörter=
bücher waren sogar noch einen Schritt weiter in
der Classification und Anordnung des Sprachstoffes
gegangen: sie hatten unter eine jede Verbalwurzel
die zu ihr gehörigen und aus ihr erklärlichen Wörter
alle vereinigt. In der ersten Hälfte des eilften
Jahrhunderts schrieb auf diese Weise A b u l v a l i d
sein berühmtes arabisches „Wurzelbuch" der hebräi=
schen Sprache.⁹ Ja schon im zehnten Jahrhundert
verfaßte J e h u d a   b e n   K o r e i s ch , aus Tiharet
in Nordafrika, in Form einer „Risâlet," worunter
die arabischen Schriftsteller etwa das verstanden,
was die Engländer „Essay" nennen, ein sprach=
vergleichendes, noch jetzt in bedeutenden und werth=
vollen Bruchstücken vorhandenes Wurzelbuch der se=
mitischen Sprachen,¹⁰ deren Zusammenhang er klar
erkannte. Er beweist mit aller Wärme einer neuen
Wahrheit aus den Flexionen und Präfixen, daß
die hebräische, chaldäische und arabische Sprache in
dieser Hinsicht „mit gleichen Stempeln geprägt"

seien, und unterscheidet dies Verhältniß bestimmt
von Entlehnung, der er allerdings einen zu großen
Spielraum läßt; er erkennt die Lautvertauschungs=
gesetze, und stellt zur Vergleichung des Sprach=
gebrauchs sogar Koran = und Bibelstellen einander
gegenüber." Wenn die griechische Sprachwissenschaft
der philosophischen Speculation, die indische einem
überaus feinen beobachtenden und analysirenden
Sinn für das Positive der Sprache ihren Charakter
verdankt; beiden Völkern aber an alten, schwie=
rig gewordenen und heiligen oder doch ehrwür=
digen Texten (den Indern an den Veden, den
Griechen an Homer) ein Reiz und bestimmter Stoff
der sprachlichen Forschung gegeben war: so scheint
die hebräische Sprachforschung schon in ihrem Be=
ginne nicht nur diesen letzteren Antrieb in der
Sprache der Bibel gleichfalls vorgefunden, und
durch arabische Tradition an der Richtung der
Griechen wie der Inder Theil genommen zu haben,
sondern sie war in Folge besonders günstiger Um=
stände von vorn herein auch zugleich auf Sprach=
vergleichung hingewiesen, und bildete so für das
europäische Sprachstudium vor dem Aufblühen der

indogermanischen Sprachwissenschaft einen verhält=
nißmäßig nicht unfruchtbaren Inhalt. Im 17. Jahr=
hundert hat, im Vereine mit andern Gelehrten,
Edmund Castle (Castellus) aus Cambridge in seinem
„siebensprachigen Lexikon" mit unsäglichem Fleiß
und Aufopferung seines Vermögens und seiner
Gesundheit den ganzen Wortvorrath der semitischen
Sprachen unter die Wurzeln zusammengetragen,
jedoch ohne bei Anhäufung dieser ungeheuren
Masse den höheren Zweck der Erkenntniß des Ge=
meinsamen, Gesetzlichen oder Ursprünglichen zu
verfolgen. In dieser Hinsicht steht er sogar hinter
seinem um siebenhundert Jahre älteren, genialen
Vorgänger zurück.

Ein vergleichendes Wurzelwörterbuch der sämmt=
lichen indogermanischen Sprachen ist ein Riesen=
werk, welches mit der ihn auszeichnenden unge=
meinen Umsicht und Vielseitigkeit Pott seit dem
Anfange dieses Jahrzehntes auszuführen unter=
nommen hat.

Was aus der veränderten und nun eigent=
lich erst wissenschaftlich gewordenen Anschauung
von dem wirklichen Bestande der Sprache resul=

tirte, war vor Allem, daß die Erklärung der
Wörter in ihrer Zurückführung auf Wurzeln bestand, und nur die Wurzeln eine selbstständige
Erklärung verlangten. Zum Beispiel, wie das
Wort T a g entsteht, läßt sich nun gleichsam historisch
belegen: es kommt von einer Wurzel, die im Sanskrit dah lautet und b r e n n e n bedeutet. Schon
das deutliche Verhältniß von Ableitung und Stamm-
silbe kann Jedermann zeigen, daß eine Wurzel
vielen abgeleiteten Wörtern gemeinsam sein muß,
wie z. B. Kunde, Kunst, können, kennen,
bekannt u. s. w. Ableitungen aus Einer Wurzel
sind. Demnach müssen der Wurzeln viel weniger
als der Wörter sein. Manche Wurzeln lassen sich
selbst wieder zu Urwurzeln mit einander verein-
gen, indem sie in Laut und Bedeutung sehr wenig
von einander abweichen. So kommen die Wörter
l a u e r n, l a u s c h e n, das dialektische l o s e n,
ferner l a u t, l ä u t e n, L e u m u n d, verleum-
den, wahrscheinlich auch Ruhm, rufen, Ge-
rücht, und endlich h ö r e n und h o r c h e n von einer
Wurzelgruppe, die, wie es scheint, auf die Formen kru, klu, klus zurückgeht. Die Durchschnitts-

zahl der Wurzeln einer Sprache schätzt Pott — gewiß eher zu hoch als zu niedrig — auf tausend.[1] Diese höchstens tausend Wurzeln also sind es, auf die sich die Frage der Sprachentstehung gegenwärtig allein noch beziehen kann. Aus diesen entstehen sodann die Wörter; die unmittelbare Entstehung eines Wortes zur Bezeichnung eines Gegenstandes ist unmöglich. Weder durch Verabredung, noch durch Schallnachahmung, noch auf irgend eine andere Weise kann ein Ding direct zu seinem Namen gelangen; er wird vielmehr immer aus einer vorhandenen Wurzel erst abgeleitet.

Wie verhalten sich nun aber die Sprachwurzeln zur Hypothese eines natürlichen Zusammenhangs zwischen dem Laute und dem was er bezeichnet, wie er etwa bei der Schallnachahmung vorauszusetzen wäre? Hier ist es eben, wo diese Hypothese gänzlich scheitert. Es ist selten, daß die Natur sich so entschieden weigert, sich unter eine vorgefaßte Meinung zu fügen. Kein einziges Beispiel wirklicher Schallnachahmung ist bis jetzt aufzubringen gewesen; manche sehr scheinbare schlagen bei näherer Betrachtung in eine beschämende Ent-

täuschung um. Was kann z. B. in dieser Hin=
sicht täuschender sein als r o l l e n? Und doch
ist rollen ein Fremdwort aus rouler, und dieses
aus rotulare entstanden, in welchem das zum
Schein der Schallnachahmung gar sehr beitragende
l nur einer ganz allgemeinen Ableitungssilbe an=
gehört, als Stamm aber nur rota, R a d, zurück=
bleibt, welches doch wohl nicht mehr vom Schall
verräth als R a ſ t und R a ſ e n, oder R o ſ e, und
welches zeigt, daß der Laut des Rollens gar nicht
unmittelbar in dem Worte bezeichnet ist, sondern
dieses vielmehr das Umdrehen nach Art eines
Rades, das Rotiren, bedeutet. Ja die Wurzeln
verhalten ſich zu den Ableitungen oft ſo, daß dieſe
das Concrete, Sinnliche, jene aber einen geistigen Be=
griff enthalten. So ist z. B. unſer Wort V i e h ſchon
im Sanskrit zu finden und ist dort mit unserem
T h i e r ſo ziemlich gleichbedeutend. Ist dieſe uralte
Benennung nun etwa aus der Nachahmung eines
thieriſchen Gebrülles entstanden? Keineswegs. Es
bezeichnet den Besitz, wie das gothiſche faihu noch
zeigt, das ganz allgemein den Besitz, nicht bloß
an Heerden, bedeutet, wie ferner auch noch aus

dem lateinischen peculiaris, eigenthümlich, pecunia, Geld, hervorgeht. Genauer betrachtet, scheint sich sogar jedes Benennen der Dinge vermittelst der Wurzeln als eine Verstandesoperation herauszustellen, da die Dinge dabei nur nach allgemeinen Merkmalen bezeichnet werden müssen, welche herauszufinden, nicht bloß zu bezeichnen, die Sache der Sprachschöpfung gewesen wäre. Die Einzelgegenstände werden unter allgemeine Vorstellungen subsumirt, indem z. B. der Dachs als ein „grabendes" Thier, die Schwester als eine „Verbundene" aufgefaßt wird; der Besitz allgemeiner Vorstellungen würde demnach das Primäre sein, und der Mensch, weit entfernt einem brüllenden Wolfe nachzubrüllen, einem blödenden Schafe nachzublöden, würde vielmehr zunächst die Begriffe graben, besitzen, verbinden, wiedergegeben und dann alles Einzelne rings um ihn her unter diese Begriffe subsumirt und durch die bereits für sie fertigen Wurzellaute ebenfalls bezeichnet haben.

Es sind zwar verschiedene, zum Theil geistreiche Versuche gemacht worden, die Theorie der Schallnachahmung mit der Thatsache auszugleichen,

daß alle Wörter von Wurzeln abstammen, welche
allgemeine Begriffe bezeichnen. Von solchen neueren
Versuchen möge es mir gestattet sein, aus einer
Schrift Steinthal's ein einziges Beispiel her-
vorzuheben, welches ein Wort betrifft, an dem
sich auch Herder versucht hatte, und welches
schon durch diese Vergleichung ein besonderes
Interesse gewinnt. In dem Worte Blitz, das
an sich nichts Tönendes bedeutet, glaubte Herder
eine Analogie mit etwas Hörbarem zu finden. „Der
Blitz schallet nicht," sagt er; „wenn er nun aber
ausgedrückt werden soll, dieser Bote der Mitter-
nacht,

> Der jetzt im Nu enthüllet Himm'l und Erd',
> Und eh ein Mensch noch sagen kann: sieh da!
> Schon in den Schlund der Finsterniß hinab ist —

natürlich wird's ein Wort werden, das durch Hülfe
eines Mittelgefühls dem Ohr die Empfindung des
Urplötzlichschnellen giebt, die das Auge hatte —
Blitz!" [13]

Nun ist aber, wie wir heute wissen, in Blitz
das z eine bloße Ableitungssilbe, die die Ver-
stärkung oder auch Wiederholung ausdrückt. Das

Wort hat überdies ein k verloren, indem es im Mittelhochdeutschen blicze, und ohne die Ableitungssilbe blic geheißen hat": Blitz ist daher nicht verschieden von dem gegenwärtig gebräuchlichen Blick, und bedeutet Glanz. Die lateinischen fulgur und fulmen, Blitz, fulgeo, glänzen, entsprechen demselben, aber es gehören dazu auch flagrare, brennen, flamma (für flagma), Flamme, die griechischen *phlego*, brennen, *phlox*, Flamme, und mehrere Wörter mit r statt l, die Sanskritwurzel bhrág glänzen, bhargas Glanz, ferner das mittelhochdeutsche brehen glänzen, woher Albrecht, Adalbert, Bertha, vielleicht auch p r a n g e n und p r u n k e n — wo also von einer besonderen Empfindung, die in dem Worte Blitz gemalt sein könnte, nichts mehr übrig bleibt.

Danach werden wir nun die Darstellung Steinthal's und ihr Verhältniß zur Herber'schen würdigen können, wenn derselbe die gleiche Aufgabe in folgenden Worten zu lösen versucht:

„bhrak ist ungefähr die Nachahmung des Schalles, welcher beim Zerbrechen eines Dinges

entsteht; d. h. das Gefühl, welches die Wahrnehmung des Brechens begleitet, reflectirt sich auf
unsere Sprachorgane und bewegt diese zur Er-
zeugung des Lautes bhrak, welcher dasselbe Gefühl erzeugt, wie der wirkliche Bruch. Der Vorgang des Brechens ward also appercipirt oder
vorgestellt im Laute bhrak, oder im Gefühle,
welches durch die Wahrnehmung dieses Lautes
entsteht. Es schien aber das Licht aus dem
Dunkel hervorzubrechen, wie der Blitz aus der
Wolke. So wurde zunächst der Blitz, dann das
Blinkende überhaupt, und besonders der aus
dem Auge hervorbrechende Blick eben durch die
Vorstellung bhrak vergegenwärtigt; ebenso die
blanken Dinge, aber auch jene durch Mangel
des Blutes entstehende helle Farbe der Wange:
bleich. Und nun wird endlich der Gedanke,
dem es an Blut und Thatkraft gebricht, blaß
genannt, d. h. durch die Vorstellung des Blassen
vorgestellt." [13]

Abgesehen von der Künstlichkeit solcher beinahe witzig aneinandergereihten Begriffsübergänge
sieht jedoch die wirkliche Bedeutung und Gestalt

der Wurzeln mit der Theorie der Schallnachah=
mung im Ganzen in einem Widerspruche, der bei
Beobachtung der Thatsachen Niemandem entgehen
kann, sowie diese Theorie denn überhaupt mehr
zu einem allgemeinen Bilde von dem, was bei
dem Ursprunge der Sprache vorgegangen sein
mag, als zur Erklärung irgend einer bestimmten
Sprachform angenommen zu werden pflegt. Wir
stehen derselben schon darum auf eine andere
Weise als Herder gegenüber, weil dieser die
Vocale für die ältesten Bestandtheile der Wurzeln
hielt, während wir wissen, daß sie vielmehr die
unwesentlichsten und jüngsten sind. Und wenn
wir uns in einem Punkte, den Herder mit einer
für seine Zeit verdienstlichen Klarheit erkannte,
mit ihm auf gleichem Boden befinden, nämlich,
daß die Wurzeln aller Wörter Verba sind, so
ist es uns dagegen nach der philosophischen Ge=
sammtanschauung unseres Jahrhunderts nicht ebenso
möglich, den Menschen sich besinnend, ein Merk=
mal mehr oder weniger bewußt absondernd, eine
Sprachwurzel erfinden zu lassen. Die Bedeutung
des Unbewußten, des Instinctiven ist uns auf=

gegangen. „Der Irrthum des achtzehnten Jahrhunderts im Allgemeinen war" — um mit Renans beredter Schilderung zu sprechen — „der Ueberlegung, dem freien und selbstbewußten Willen zuzuschreiben, was das natürliche Erzeugniß der menschlichen Fähigkeiten ist. Ueberhaupt begriff dieses Jahrhundert die Theorie der instinctiven Thätigkeit zu wenig; überwiegend in der Vorstellung von der Macht der Reflexion befangen, dehnte es die Sphäre menschlicher Erfindung viel zu weit aus." [16]

Kann nun aber instinctiv etwas Anderes nachgeahmt werden, als z. B. das besondere Brüllen eines Stieres? Können allgemeine Begriffe, wie brüllen, glänzen, gehen, unbewußte Wiedergabe von Eindrücken der Außenwelt sein? Diese Betrachtung muß uns auch gegen jede andere Erklärung der Wurzelbildung aus irgend einem Natureindrucke bedenklich machen. Sie ist ein Einwurf nicht nur gegen die Schallnachahmung, sondern überhaupt gegen die Entstehung der Sprachwurzeln auf irgend einem physiologisch-organischen Wege, welches der für uns allein noch mögliche Sinn

dessen ist, was die alte Philosophie unter Entstehung durch Physis oder Natur verstand.

Heyse wollte der Sprache drei Arten von Natur-
lauten zu Grunde legen: Empfindungslaute, Schallnachahmungen, und Lautgeberden oder Begehrungs-
laute. Unter dem (wenig zutreffenden) Ausdrucke
„Lautgeberden" sind Laute gemeint, die denselben
Zweck erfüllen sollen, wie etwa eine deutende Geberde,
oder ein Wink. Er gibt als Beispiele für die erste
Art: ha, hu, ach! — für die zweite: bä! krach! —
für die Lautgeberden: st! he! holla! — und glaubt,
unter andern vom Standpunkte der Sprachvergleichung unmöglichen Annahmen, z. B. das griechische *bus*, Rind, von *bu*! herleiten zu dürfen. [17]
Doch entgeht dem sonst scharfsinnigen Manne selbst
die Kluft nicht, die seine Naturlaute von „den Wörtern der Vernunftsprache" trennt. [18] Dieselbe ist
in der That unermeßlich, und das Scheitern solcher
abenteuerlichen Versuche daher nicht zu verwundern.

Max Müller erörtert am Schlusse des ersten
Theiles seiner Vorlesungen „die letzten Fragen der
Sprachwissenschaft, nämlich die: wie kann der
Ton zum Ausdruck des Gedankens werden? wie

wurden Wurzeln zu Zeichen allgemeiner Ideen?
Wie wurde die abstracte Idee des Messens durch
mâ, die Idee des Denkens durch man ausgedrückt? Wie kam gâ dazu, gehen, sthâ stehen,
sad sitzen, dâ geben, mar sterben, car wan-
deln, kar thun zu bezeichnen?"

Er antwortet darauf in folgender Weise: „Die
vier- bis fünfhundert Wurzeln, welche als die
letzten Bestandtheile in den verschiedenen Sprach-
familien zurückbleiben, sind weder Interjectionen,
noch Schallnachahmungen; sie sind phonetische Grund-
typen, die durch eine der menschlichen Natur inwohnende Kraft hervorgebracht werden. Sie existiren, wie Plato sagen würde, durch die Natur;
obgleich wir mit Plato hinzufügen sollten, daß
wir, wenn wir sagen, durch die Natur, damit
meinen durch göttliches Wirken. Es giebt ein
Gesetz, welches sich fast durch die gesammte Natur
hindurchzieht, daß jedes Ding, das ist, einen
Klang von sich giebt. Jede Substanz hat ihren
eigenthümlichen Klang. Wir können auf die mehr
oder weniger vollkommene Structur der Metalle
aus ihren Vibrationen schließen, aus der Antwort,

die sie ertheilen, wenn man sie nach ihrem Natur=
klange fragt. Gold erklingt anders als Zinn,
Holz anders als Stein, und verschiedene Klänge
entstehen, je nachdem die Erschütterung des Kör=
pers verschieden ist. Ebenso war es mit dem
Menschen, dem vollkommensten Organismus unter
den Werken der Natur. Der Mensch war in
seinem vollkommenen Urzustande nicht wie die
Thiere allein mit dem Vermögen begabt, seine
Empfindungen durch Interjection und seine Wahr=
nehmung durch Onomatopöie auszudrücken, er
besaß auch das Vermögen, den vernünftigen Con=
ceptionen seines Geistes einen bessern, seiner arti=
culirten Ausdruck zu geben. Dieses Vermögen
hatte er nicht selbst herangebildet. Es war ein
Instinct, ein Instinct des Geistes, ebenso un=
widerstehlich, wie jeder andere Instinct. Soweit
als die Sprache das Product jenes Instinctes ist,
gehört sie dem Reiche der Natur an. Der Mensch
verliert seine Instincte, indem er aufhört ihrer
zu bedürfen. Seine Sinne werden schwächer, wenn
sie, wie z. B. der Geruchssinn, unnütz werden. So
erlosch jenes schöpferische Vermögen, welches jeder

Vorstellung, indem sie zum erstenmale durch
das Gehirn drang, einen lautlichen Ausdruck ver=
lieh, sobald als es seinen Zweck erfüllt hatte."

Die Annahme eines jetzt erloschenen Vermö=
gens der Sprachschöpfung und die damit zusammen=
hängende von einem vollkommenen Urzustande des
Menschen ist eine Zuflucht zum Unbegreiflichen,
und nicht weit von dem Eingeständnisse entfernt,
daß es uns der Natur der Dinge nach für immer
unmöglich sei, den wahren Sinn der Urwurzeln
zu erkennen und den Vorgang des Sprachursprun=
ges zu erklären. Wir würden mit einer solchen
Annahme auf einen mystischen Standpunkt zurück=
geführt sein, da doch schon Herder das „Gespenst
vom Wort Fähigkeit" bekämpft und gesagt hat:
„Ich gebe den Menschen nicht gleich plötzlich neue
Kräfte, keine sprachschaffende Fähigkeit, wie eine
willkürliche qualitas occulta." Einige der größ=
ten Forscher haben es in Wirklichkeit von dem
bisherigen Standpunkte der Sprachforschung aus
vorgezogen, sich des Urtheils über diese bedeu=
tungsvolle Frage gänzlich zu enthalten.

Bopp begann die Vorrede zu seiner unsterb=

lichen „vergleichenden Grammatik" (1833) mit den
Worten: „Ich beabsichtige in diesem Buche eine
vergleichende, alles Verwandte zusammenfassende
Beschreibung des Organismus der auf dem Titel
genannten Sprachen, eine Erforschung ihrer phy=
sischen und mechanischen Gesetze und des Ursprungs
der die grammatischen Verhältnisse bezeichnenden
Formen. Nur das Geheimniß der Wurzeln oder
des Benennungsgrundes der Urbegriffe lassen wir
unangetastet; wir untersuchen nicht, warum z. B.
die Wurzel i gehen und nicht stehen, oder
warum die Laut=Gruppirung stha oder sta stehen
und nicht gehen bedeute."

Hören wir neben diesen, an der Wiege
der vergleichenden Sprachwissenschaft gesprochenen
Worten, wie sich noch in allerneuester Zeit ein
schon erwähnter Vertreter der sprachphilosophischen
Richtung ausspricht. Ein ungenannter Sprach=
forscher hatte, an den Satz anknüpfend, daß „die
von Bopp abgelehnte Frage, warum i gehen und
sta stehen bedeute, und nicht umgelehrt, auch
heute noch ungelöst sei," einige Bemerkungen an
Steinthal in Betreff der Lehre von den Restex=

bewegungen gerichtet. In Erwiederung hierauf
spricht sich nun Steinthal (in der „Zeitschrift für
Völkerpsychologie und Sprachwissenschaft," 1867
S. 76) über die „natursymbolische Bedeutung" der
Laute folgendermaßen aus: „Ich leugne," sagt er,'
„solche den Lauten von Natur zukommende Be=
deutung nicht. Sind die Wurzeln der Sprache
Reflexlaute, so reflectirt sich eben etwas, eine
Seelenregung, in ihnen, und diese ist ihre Be=
deutung. Aber was sich in jedem wurzelhaften
Lautgebilde reflectirt, was diese Lautstrahlen ent=
sendet, das kann nicht a priori, sondern nur a
posteriori, nicht durch Physiologie, sondern nur
durch historische Sprachforschung erkannt werden —
wenn es überhaupt zu erforschen ist. Denn Jeden,
der es wagt, die jedem Laute seiner Natur nach
inwohnende Bedeutung zu bestimmen, möchte ich
im Tone des Dichters von Hiob fragen: standst
du dabei, als sich der Brust des noch stummen
Urmenschen der erste Sprachlaut entrang? und
verstandst du ihn? Oder hat man dir die Urwur=
zeln jener ersten Menschen vor hundert tausend
Jahren überliefert? Sind das, was du als Wurzeln

hinstellst, und was wirklich Wurzeln sein mögen,
auch Wurzeln der Urzeit, unveränderte Reflexlaute?
Sind jene deine Wurzeln älter als sechstausend,
als zehntausend Jahre? und wie viel mögen sie sich
in den früheren Jahrzehntausenden verändert haben?
wie mag sich ihre Bedeutung verändert haben?

„Nichtsdestoweniger bleibt es eine wichtige psy=
chologische Thatsache, daß die Laute einen onoma=
topoetischen Werth haben, daß wir diesen Werth
heute noch fühlen. Nur ist dieses Gefühl nicht
sicher genug, um als wissenschaftlicher Beweis zu
gelten, wie es denn auch bei den verschiedenen
Racen verschieden ist. Die Sprachen der mongo=
lischen Race haben zur Bezeichnung von Natur=
ereignissen viele Onomatopöien, welche wir nicht
mitfühlen. Und das ist weder zu verwundern,
noch ist es ein Beweis gegen die geistige Einheit
des Menschengeschlechtes. Das Gefühl wird ja
vielfach durch Associationen der Vorstellungen be=
stimmt. Andere Associationen aber walten im
Kaukasier, andere im Mongolen.

„Ich bin nicht gesonnen die Forschung zu hem=
men, und mag nicht Schwierigkeiten darstellen,

die ich doch auch nur wieder aus meiner Phan=
tasie von einer Urwelt holen könnte. Nur darauf
wollte ich hinweisen, daß es allemal eine unge=
gründete Forderung ist, ganz individuelle That=
sachen, wie die Gestalt einer Wurzel ist, aus
einem Principe construiren zu wollen, ohne die
Kenntniß der besonderen Umstände, die dabei ob=
walteten, ja, bevor der Thatbestand selbst voll=
ständig und sicher bekannt ist. Darum will ich auch
kein Gewicht darauf legen, daß gerade das Bei=
spiel von der Wurzel sta für stehen sich leicht
aus unserer Stillschweigen gebietenden Interjec=
tion „st!" erklärt, daß noch näher s der leben=
digste Ausdruck der einfachen Bewegung ist (wo=
gegen r das Rollen und die ungleichförmige Be=
wegung bedeutet), das hinzugefügte t aber, wie
schon Plato bemerkt, die Hemmung bedeutet, also
s + t die Hemmung der Bewegung. Meine Meinung
also ist: man schreite in der Wurzelforschung
schrittweise vor, ohne die Endergebnisse, zu denen
man gelangen will, vorauszugreifen; und so wird
sich zeigen, wie weit man nach etlichen Geschlech=
tern gelangt sein wird."

Während wir uns so von Seiten der Sprach=
philosophie für die Lösung der letzten Fragen auf
die in unbestimmter Ferne liegenden Endresultate
der positiven Forschung vertröstet sehen, so scheint
es beinahe, als ob in folgenden Worten Ben=
sey's die positive Sprachforschung umgekehrt der
philosophischen einen großen Theil dieser Aufgabe
zuwenden wollte. Indem er vier Richtungen der
neueren Sprachwissenschaft, eine analysirende, eine
philosophische, eine vergleichende und eine geschicht=
liche unterscheidet, fügt er über die zweite, phi=
losophische, die in Beziehung auf die nahe Aus=
sicht einer Lösung kaum zuversichtlichere Aeußerung
hinzu: „Wie sie nicht aufgehört hat, sich an den
Fortschritten, welche auf diesem Gebiete gemacht
sind, in ihrer Weise zu betheiligen, so darf man
der Hoffnung Raum geben, daß sie, sobald die
Unterlagen, deren sie zu mächtigerer Wirksamkeit
bedarf, in noch umfassenderer und festerer Art
von ihren drei Schwestern gelegt sein werden,
mit erstarkter Kraft, erweitertem Gesichtskreis
und vertiefter Anschauung vielleicht nicht am We=
nigsten dazu beitragen werde, uns dem Ziele

näher zu bringen, welches nur vermittelst der harmonisch zusammenwirkenden Thätigkeit dieser vier Schwestern erreicht zu werden vermag." [19]

Pott sagt: „Den geheimnißvollen Schleier, der über einer unbestreitbar vorhandenen, und der gleich räthselhaften zwischen Leib und Seele parallelen Gemeinschaft (communio) zwischen Laut und Begriff ruht, — wie sich dieselbe am ungetrübtesten, weil noch an der Quelle der Wörter selbst, in der Wurzel offenbaren müßte, hat man bisher höchstens an der einen oder andern Ecke ein wenig zu lüften vermocht, und ich zweifle, ob er sich je wird völlig hinweg ziehen lassen." Und nachdem er im Allgemeinen die „Bedeutsamkeit auch des buchstäblichen Lautes an sich" für eine unläugbare Wahrheit erklärt, beruft er sich andererseits auf den von ihm selbst der Lautnachahmung gegenüber geführten Nachweis, wie unendlich solche Wörter, welche sehr bestimmte Naturlaute sprachlich wiedergeben sollen, als z. B. Donner, bellen, husten, niesen, schnarchen, trotzdem oft im Laute nach verschiedener Richtung aus einander fließen, und schließt

mit dem Sabe: „Wir stehen hier vor einem großen Geheimniß: das Band zwischen Begriff und
Laut." [20]

Auch Lepsius — dessen Worte sich unmittelbar darauf von Pott angeführt finden — spricht
sich zwar zunächst dahin aus, daß mit den Wurzeln ursprüngliche Empfindungslaute auf
uns vererbt seien, fügt jedoch hinzu: „Daß wir
aber diese ursprüngliche Richtigkeit der Wurzellaute uns jemals wieder zur Anschauung bringen
könnten, ist für uns noch weniger möglich, als
dem Wilden sein scharfes Gesicht, Gehör, Geruch
abzulernen, weil uns dort nicht einmal das, was
wir begreifen sollen, scharf gegeben ist, sondern erst
durch trügliche Schlüsse gewonnen werden soll." [21]

Schleicher, der einer bedeutenden Thätigkeit so eben durch den Tod entrissene Forscher, hat
mehrfach die gleiche Ueberzeugung geäußert. Er
betrachtet es als eine unabänderliche Thatsache,
daß „wir über das Material der Sprache, über
den Ursprung des Lautes und die Ursachen des
Factums, daß verschiedenen Menschengruppen für
dieselbe Anschauung, für denselben Begriff ver-

schiebene Laute als Bezeichnung sich darboten, im Unklaren sind." Ja er vindicirt der Sprachwissen= schaft „das Recht, auf die Frage: wie ist die Sprache entstanden? eine Antwort zu versagen." „Die Sprachwissenschaft, als eine Beobachtungs= wissenschaft," sagt er, „setzt ihr Object, die Sprache, voraus; die älteste, einfachste Form derselben kann sie aus den vorliegenden Sprachen erschließen und ihre fernere Entwickelung verfolgen; aber wie der Mensch dazu gekommen ist, diese einfachste, er= schließbar älteste Sprache zu schaffen, das zu er= gründen ist nicht ihre Sache. Die Lehre von der Entstehung der Sprache liegt jenseits ihres Ge= bietes, sie fällt vielmehr in das der Anthropologie." — „Die Wurzeln, die Bedeutungslaute selbst, nehmen wir in ihrer ältesten Lautform als ge= geben an, und über die geheimnißvolle Entstehung dieser, d. h. über die Entstehung der Sprache selbst, wagen wir auch nicht die leiseste Vermuthung. Denn hier verliert der Sprachforscher den Boden unter den Füßen, den er bis hierher mit jener Zuversicht betreten konnte, die eine strenge Me= thode gewährt. Die Wurzelbildung selbst liegt

jenſeits der Sprachwiſſenſchaft, denn erſt muß
Sprache da ſein, ehe Sprachwiſſenſchaft möglich
iſt; die Lehre von der Entſtehung der Sprache
iſt demnach von der Sprachwiſſenſchaft auszu-
ſchließen, ſowie die Entſtehung der einfachen Grund-
ſtoffe von der Naturwiſſenſchaft; ob ſie überhaupt
möglich ſei, iſt eine Frage für ſich, deren Be-
antwortung uns glücklicherweiſe nicht obliegt."²²

So hat denn, wie es mit ſich bekämpfenden
Dogmen zu geſchehen pflegt, der Gegenſatz der
Phyſis und der Theſis zuletzt zum Scepticismus
geführt; und auch die ſprachvergleichende Wiſſen-
ſchaft hat ſich von der Ausſichtsloſigkeit, auf den
bisher bekannten Wegen das Ziel zu erreichen,
das ihr doch gerade den höchſten Werth verleiht,
bis zu dem Beweiſe verleiten laſſen, daß wir über
dieſes letzte Ziel, mindeſtens noch auf Generationen
hinaus, Nichts wiſſen werden, ja wohl gar niemals etwas wiſſen können.

II.

Die Gründe, welche in dem Obigen gegen die Physis wie gegen die Thesis angeführt worden sind, waren nicht blos gegen einander abgewogene dialectische Scheingründe. Das eine wie das andere System ist in seiner Kritik, in seiner Verneinung des gegentheiligen berechtigt. Aber sie sind nothwendigerweise beide irrig wegen einer stillschweigend angenommenen und dennoch unwahren Voraussetzung. Warum bedeutet gehen eine Bewegung, stehen die Ruhe, und nicht umgekehrt? Warum kommt einem bestimmten Laute eine bestimmte Bedeutung zu und keine andere? Dies ist die gemeinsame Frage, und die Antwort wird auf der einen Seite von einem inneren Zusammenhang zwischen je einem Laut und dem entsprechenden Begriffe, auf der andern aus Willkür und Uebereinkunft hergeleitet.

Aber bezeichnet denn wirklich ein bestimmter
Laut einen bestimmten Begriff und keinen andern?
Dies ist es, dessen man von beiden Seiten so
sicher zu sein glaubte, daß man es gar nicht erst
untersuchte, und was dennoch meiner festen Ueber=
zeugung nach nur verneint werden kann.

Schon Demokrit, jener wunderbare Mann,
der vor fast dritthalb Jahrtausenden erkannte, daß
alle Dinge aus gleichartigen Atomen bestehen, hat
die Entdeckung gemacht, daß es in der Sprache
mehrdeutige Wörter gibt, und daß andererseits
auch wieder mehrere Wörter dasselbe oder etwas
nahezu Gleiches bedeuten, und hat dieselbe als
einen Beweis gegen die Naturnothwendigkeit der
Bezeichnung, und für das blos Conventionelle
der Sprachentstehung, also für die Thesis ange=
führt.[20] Die heutige Sprachwissenschaft betrachtet
diese Erscheinung als eine wenig bedeutende Aus=
nahme, als eine gelegentliche Abweichung von dem
allgemeinen und ursprünglichen Zustande der
Sprache. Pott führt unter Erklärung seines
Einverständnisses die in folgenden Worten aus=
gesprochene Ansicht Diefenbachs (in seinem

bereits 1835 erschienenen anregenden Buche „Ueber
Leben, Geschichte und Sprache" S. 67) an:
„Nach unserer Meinung aber verbietet die An=
nahme einer durchgehenden Correspondenz des
Lautes mit dem Begriffe während der ersten
Sprachperiode, in welcher die eigentlichen Wur=
zeln in erster Potenz geschaffen wurden, wesent=
liche Mehrdeutigkeit Eines Wurzellautes (vgl.
Grimm II. 76) in dem Munde Eines Subjectes
(Einer Sprachfamilie) anzunehmen; so wie anderer=
seits den Gebrauch mehrer Sprachwurzeln für
Eine Vorstellung. Ersteres wäre Asthenie, dieses
Hypersthenie, und Beides mit der für die erste
Sprachperiode vorauszusetzenden Gesundheit nicht
verträglich."

Grimm an der von Diefenbach hier ange=
führten Stelle beantwortet die Frage, ob man den
Grundsatz, daß zwei verschiedene Wurzeln auch in
den Buchstaben nothwendig verschieden sein müssen,
anerkennen dürfe? mit andern Worten, ob zwei
äußerlich zusammenfallende Wurzeln innerlich ein=
ander ganz fremd sein können? mit nein in
Betreff der zuletzt gestellten Alternative. „Gälte

Geiger, Ursprung der Sprache.   4

Letzteres," sagt er, „so würde dadurch die Wurzelforschung begrenzt und gehemmt, jeder ablenken-
den Bedeutung zu Gunsten ein gesonderter Stamm
aufgestellt werden müssen und die Menge der
Wurzeln unabsehlich sein. Dagegen, wenn die
erstere Annahme stattfände, Hauptgeschäft des Etymologen bliebe, die individuelle Form jeder Wurzel sicher zu stellen, dann aber alles, was sich zu
denselben Buchstaben bekennt, schiene die Bedeutung noch so abweichend, unter ihr zu vereinigen."
Diejenige Methode der Sprachforschung, welcher
er sodann selbst den Vorzug gibt, „wird aber,"
wie er hinzufügt, „durch die Wahrnehmung unendlicher Spaltungen der Bedeutung genöthigt
werden, die reine Form als den gegebenen Halt-
punkt, der ihr übrig bleibt, zu fassen, und von
ihr aus die Lösung des Mannigfaltigen zu unternehmen. Was aber dem Buchstaben nach Eines
ist, kann der Sache nach nicht ein Anderes sein."
Grimm verkennt also die unendliche Spaltung der
Bedeutung einer lautlich gleichen Wurzel durchaus
nicht; er glaubt nur stets einen Zusammenhang
suchen, und die Bedeutungen, scheinen sie auch

noch so abweichend, wohl oder übel zusammen-
bringen zu müssen, und zwar aus einem bloß
technischen, offenbar durch die Sache selbst nicht
gebotenen Grunde. Ich habe in meinem größeren Werke nachzuweisen versucht, daß es unmöglich ist, eine bestimmte Wurzel bei einem bestimmten Begriffe festzuhalten, oder umgekehrt; für
gar manche Begriffe finden sich viele Wurzeln verwendet, und umgekehrt dient wieder manche Wurzel
mehreren Begriffen zugleich. Der ungeheure Umfang, zu der sich die Erscheinung der Vieldeutigkeit und Viellautigkeit in den Wurzeln wirklich
erhebt, wird im Einzelnen noch bestimmter und
klarer hervortreten, so daß eher das Gegentheil
als Ausnahme erscheinen möchte. Daß es nun
aber in einer ersten Sprachperiode einmal anders
gewesen sei, ist offenbar eine ganz willkürliche Annahme, die aus einer bloß vorausgesetzten Gesundheit dieses Sprachzustandes keineswegs bewiesen werden kann. Im Gegentheil: wenn der Urzustand der Sprache gesünder als der gegenwärtige
wäre, so würde die Sprache nichts als eine Entartung ihrer ursprünglichen Form sein können [24];

während, wie ich im Folgenden zeigen werde, sie ganz umgekehrt als Entwickelung aus einer bereinst unvollkommenen Form zu fassen ist. Betrachten wir die gegenwärtigen, fertigen Wörter der Sprache: sie sind im Allgemeinen verständlich; Mehrdeutigkeit ist Ausnahme. Vergleichen wir damit die Wurzeln: eine erstaunliche Fülle von Stoff drängt sich in sie zusammen, so daß sich aus den Ableitungen gar mancher einzigen Wurzel eine ganze Sprache herstellen oder ersetzen ließe. Ist es nun nicht natürlicher, anzunehmen, daß dies sich weiter rückwärts gegen die Urzeit hin in gesteigertem Maße ebenso verhalte? Was kann uns bewegen, für die erste Sprachstufe eine streng logische Correspondenz zwischen Laut und Begriff zu unterstellen, die sich in einer zweiten getrübt und verwischt habe, um in der dritten aufs neue in Logik und Ordnung überzugehen? Man vergleiche z. B. eben die Wurzel stehen: uns ganz unzweideutig, schwankt sie schon im Griechischen zwischen stehen bleiben, hintreten und stellen; und wenn auch nicht mit Bestimmtheit behauptet, so wird doch es wenigstens als Vermuthung, gegenüber einem Erklärungsversuche wie dem oben angeführten, ausgesprochen werden dürfen, daß ste hen (stha), wie so manche mit dem Anlaute s neben einer andern Wurzel ohne diesen Anlaut (z. B. s ch wanken neben w anken) steht, so ursprünglich von th un (dha) nicht grundverschieden gewesen sei. Nun bedeutete aber die Wurzel dha, außer thun, auch setzen und geben; und welch eine verwirrende Masse von Vorstellungen innerhalb des indogermanischen Sprachstammes sich an diese einfache Wurzel geschlossen hat, kann ein einziger Blick auf die gewaltigen Sammlungen Potts in seinem öfter angeführten Werke lehren. Daß die Wurzel da, geben, mit der erwähnten mehrfach zusammenfließt, ist bekannt, und daß sie eine bloße Variation jener sei, wenigstens nicht ganz fern liegend. Und wenn es, einmal auf dem Boden der Hypothese, erlaubt ist, noch einen Schritt weiter zu thun, so wird man es vielleicht nicht unmöglich finden, auch die Wurzel sad, si tz en, ebenso als eine Zusammensetzung aus sa da aufzufassen, wie stha als eine solche aus sa dha, wobei zu bedenken wäre, daß si tz en eigentlich sich niederlassen, und Satz sogar noch Sprung bedeutet.⁷⁵ Ich habe diese Hypothesen nur ausgeführt, um die Frage, warum stehen gerade die Ruhe bedeute und nichts anderes? in dieser ihrer unbedingten Form, und namentlich alle direct auf dieselben versuchten Antworten zurückzuweisen, indem es ja noch gar nicht ausgemacht ist, daß diese Bedeutung der Wurzel von jeher eigen und allein eigen gewesen sei.

Neben der Wurzel da, geben, hat überdies der indogermanische Sprachstamm mindestens noch drei andere, die ihr im Laute entweder ursprünglich gleich sind, oder doch nicht mit Sicherheit unterschieden werden können: sie bedeuten wissen, binden und theilen, wozu nach einigen Sprachforschern, ebenfalls ohne wesentlichen Lautunterschied, noch die Bedeutungen essen, schützen und reinigen kommen.

Nehmen wir nun auf Grund der Thatsachen, oder, wenn man will, einstweilen ohne diese Begründung an, die Wurzellaute seien von jeher mehrdeutig gewesen und zu größerer Bestimmtheit im Laufe der Entwickelung fortgeschritten, so ist

dies ein Vorgang, der an sich nichts Räthsel=
haftes haben kann. Es läßt sich noch heutzutage
beobachten, und an historischen Beispielen vielfach
nachweisen, daß mehrere Wörter, deren jedes
mehrere Bedeutungen auf sich vereinigt, ihre
Mehrdeutigkeit verlieren und sich auf die ver=
schiedenen Bedeutungen vertheilen. Die Unter=
scheidung, die wir z. B. zwischen der See
und die See machen, ist verhältnißmäßig neu.
Man sagte im Altdeutschen ursprünglich der
See in beiden Bedeutungen; aus dem Nieder=
ländischen, wo das Wort als Femininum sich
auf die Bedeutung Meer beschränkt hatte,
drang dasselbe in der gleichen Beschränkung in
das Hochdeutsche.[26] Daß gerade die niederdeutsche
Form die Bedeutung des Meeres, die ältere
hochdeutsche die des Landsees erhielt, ist mit
der Natur der geographischen Heimath beider
Formen sehr im Einklang. Schwerer dürfte es
sein, einen Grund anzugeben, warum im Eng=
lischen queen zur Bedeutung „Königin" gelangte,
entsprechend dem verwandten deutschen König,
während quean und das schwedische kona äußerst

niedrige Wörter sind, *gyné* dagegen und das altnordische kona nur Weib heißen. Dem schwedischen
karl, Mann, steht im Deutschen Karl jetzt nur als
Eigenname, Kerl in einer nicht edlen Bedeutung
gegenüber, während es in der ältern Sprache
Held und Heerführer hieß; im Althochdeutschen
finden sich noch die Bedeutungen Gatte, Geliebter,
auch Männchen von Thieren; in andern Mund-
arten treten die Begriffe Großvater, Greis, aber
auch Bauer hervor. Die eigentliche und erste Bedeutung von Karl und Kerl ist ohne Zweifel
„Alter"; sie stammen von der gleichen Wurzel mit
den griechischen *gerón, geraios, géras, géraloos,*
graus. Man gebrauchte sie offenbar zuerst für
den wirklichen Greis, dann für den Großvater,
den Ehemann, und in verächtlichem Sinn für
einen derben Alten, sowie im ehrenden für einen
Aeltesten und Edlen. Eigenname wurde Karl
schwerlich unmittelbar von der Appellativbedeutung
aus. Es scheint einer der vielen Beinamen des
Gottes Wodan gewesen zu sein, und auch Donar
oder Thor hieß wahrscheinlich Karl. Grimm hat
bemerkt, daß der Wagen am Himmel im Schwe-

bifchen „Karlswagen" heißt, und daß eine alt=
fchwedifche Chronik ihn auf Thor beziehe, und
zugleich auch den Namen „Wodanswagen" für ihn
nachgewiefen. Er hat ferner gezeigt, daß was von
dem in der Tiefe der Erde in jahrhundertelangem
Schlafe verweilenden Friedrich Rothbart er=
zählt wird, fich zuerft auf Donar bezog, deffen
Attribut der rothe Bart war, daß aber zugleich
diefelbe Sage öfter auch einen Kaifer Karl anftatt
Friedrichs nennt.[27] Es fpricht eine ganz allgemeine
Analogie dafür, daß Eigennamen zuerft für Götter
gebildet, und von ihnen aus auf Menfchen über=
tragen oder für fie abgeleitet werden. Der ältefte
Friedrich Rothbart war demnach Donar felbft;
Karl als Göttername bedeutete entweder „Herr,"
oder „alter Mann," als welcher ja Obhin in
der Edda fo häufig erfcheint, wie denn in den
Stellen, wo nach der beliebten Form der Eddalieder
Obhin in verwandelter Geftalt als Unbekannter
auftritt, öfter für ihn mit einiger Abficht karl
(der Mann) gebraucht zu fein fcheint. Wahrfchein=
lich war es jedesmal der höchfte Gott eines Stam=
mes, dem diefer Name gegeben ward, und diefe

Stelle wechselte bekanntlich zwischen Thor und
Obhin. In Schweden, einer Hauptstätte der
Verehrung Thors, und in Franken, wo Wodan
vorangestanden zu haben scheint, tritt Karl früh
als menschlicher Eigenname auf. Dobrowsky
nimmt an, daß aus dem Namen Karls des
Großen das slavische Wort für König, kralj
(russisch karolj) entstanden sei, welches auch im
ungarischen kiraly, und für die christlichen Kö-
nige im türkischen kiral zu finden ist. Aber da
die Deutschen selbst nicht den Namen des fränki-
schen Königs, sondern den Cäsars zur Gattungs-
bezeichnung des Herrschers verwendeten, so möchte
die Entlehnung höchstens von dem Hauptwort-
begriff Karl, im Sinne von Herr, ausgegangen sein.

Bei der Entwickelung der Sonderbedeutungen
wirken, wie man sieht, eine Menge von äußeren
Umständen mit; im Allgemeinen kann man mit
Recht als die Gesammturfache einer solchen Sonder-
bestimmung den Sprachgebrauch betrachten. Der
Sprachgebrauch ist die Gewohnheit, ein Wort in
einem bestimmten Sinne anzuwenden. Eine solche

Gewohnheit stellt sich ganz von selbst überall ein,
wo ein Wort zu verschiedenen Gebrauchsweisen Veranlassung gibt. Das lateinische niger, schwarz,
heißt im Sanskrit (nīla) auch blau, wohingegen
krǐschn im Sanskrit schwarz, im Lateinischen,
unter der Form canus, grau bedeutet. [28] —
Bekommen ist bei uns vorwiegend empfangen;
become, englisch: werden. — Bei uns ist bellen
der Laut des Hundes, auch des Fuchses und Hirsches,
im Angelsächsischen ist es der des Ebers; im Englischen ist bell die Schelle, während umgelehrt im
Schwedischen skälla bellen bedeutet. [29] Die Vertheilung der Bedeutungen hätte ohne Zweifel auch
anders verlaufen können; die Engländer gewöhn-
ten sich, ein den Schall bezeichnendes Wort für
die Schelle zu gebrauchen, das wir ebenfalls nur
aus Gewohnheit für den Laut des Hundes anzuwenden pflegen.

Auch der einzelne Mensch fällt in seinen Handlungen ohne, ja wider seinen Willen stets der
Gewohnheit anheim, indem, sobald er eine Bewegung mehreremale ausgeführt, er schon eben-
dadurch die Neigung erlangt, dieselbe auf eben

solche Weise gelegentlich zu wiederholen. Ebenso mit Worten, wo ein Jeder leicht an sich oder Andern beobachten kann, wie er unvermerkt sich eine Redensart angewöhnt hat, und wenn er überhaupt darauf aufmerksam wird, Mühe hat, sie nur wieder zu vermeiden. Auch hat im Kleinen Jeder seinen individuellen Sprachgebrauch für sich, der eine wird mit „gewiß," der andere mit „ja wohl" antworten; der eine lieber dunkel, der andere finster sagen. Beim Uebergang vom Lesen eines Schriftstellers auf einen andern, besonders in fremden, und namentlich schwierigeren Sprachen, fühlt man sehr bald, daß man in einen neuen Wortkreis geräth. Während nun der Wechselverkehr der Individuen die Abweichung des Sprachgebrauchs auf ein Minimum beschränkt, fällt diese Schranke, wo es sich um Dialecte oder Völker handelt, weg, und das Auseinandergehen des Sprachgebrauchs nimmt größere Dimensionen an. Wie für diesen räumlichen Gegensatz, so finden sich auch für den zeitlichen Gegensatz, der die Sprache eines Schriftstellers von vor tausend Jahren uns kaum verständlich und einen nur wenige Jahr-

hunderte alten veraltet und lächerlich erscheinen
läßt, Analogien in dem ebenso allmählichen Wechsel
der Gewohnheiten und der Sprachweise des In-
dividuums.

In allen nachweisbaren Fällen der Bedeutungsentwickelung herrscht ein gemeinsames, sehr einfaches Gesetz. Ueberall ist es nur die Mehrheit
des Vorkommens, welche entscheidet. Je öfter ein
Wort gebraucht wird, um so gebräuchlicher wird
es; wird es dagegen eine Zeit lang zufällig
nicht gebraucht, so kann es dadurch allein ver-
alten, ja vergessen werden. Ein gleichgültiges
Wort wird einigemale zufällig in lobendem Sinne
angewendet; es erhält hierdurch die Tendenz zu
ausschließlich lobender Bedeutung. Dasselbe Wort
wird vielleicht in einem andern Dialect öfter in
tadelnder Bedeutung angewendet und erhält dadurch die entgegengesetzte Tendenz. So differen-
ziren sich gleichgültige Wörter nach zwei Seiten
hin. Oder es bilden sich aus irgend einem äußerlichen Grunde, dergleichen besonders in der früheren Sprachgeschichte mancherlei nachweisbar sind,
Doppelformen eines Wortes auch in einem und

demſelben Dialect: ſogleich wird eine Neigung zur Sonderung der Bedeutungen entſtehen; denn wenn beide anfangs noch ſo gleichgültig für den ganzen möglichen Umfang ihres Sinnes gebraucht werden, ſo wäre es doch ein kaum denkbarer Zufall, wenn die äußerſt feine Wage des Sprachgefühls bleibend einſtehen, wenn nicht mindeſtens die Stimmung, die Färbung eine Form von der andern unterſcheiden ſollte. Dies iſt auch der eigentliche Grund, warum es in der Sprache keine wahren und völlig einander deckenden Synonymen gibt. Es iſt keineswegs immer die Grundbedeutung, aus welcher der oft ſehr zarte, kaum faßbare Unterſchied der Bedeutung ſinnverwandter Wörter entſpringt. Haut und Fell pflegen, jedoch mit Unrecht, von einer verſchiebenen Bedeutung abgeleitet zu werden: wie dem ſei, der Engländer gebraucht hide genau wie wir Fell, ſo daß es nur verächtlicherweiſe vom Menſchen geſagt werden kann, und auch bei uns iſt die Unterſcheidung nicht von jeher gemacht worden; in „Haut und Haar" iſt gewiß nur an Fell zu denken, und die Mehrheit Häute unterſcheidet ſich inſofern von Felle, als nicht wie hier werth-

volles Haar, sondern mehr das Leder in Betracht
kommt; umgekehrt wurde Fell im Mittelhochdeut=
schen im edelsten Zusammenhange von der mensch=
lichen Haut gebraucht.

So wenig man nun in diesen Unterscheidungen
etwas Naturnothwendiges finden wird, ebensowenig
wird Jemand auf den Gedanken gerathen, sie für
ein Werk der Willkür, der Verabredung, also der
Thesis zu halten. Haben wir es so mit einander
verabredet, Löwenhaut und Eselshaut, da=
gegen Widderfell und Zobelfell, Hirschhaut
und Rehfell zu sagen? Oder die Engländer cow-
hide und lion's skin?[30] Ist es mit den Schweden
ausbedungen worden, daß sie schellen statt bellen
sagen möchten, damit hinwiederum in England
bell für die Schelle gebraucht werden könne?
Und haben die germanischen Stämme das Wort
Karl nach seinen verschiedenen Bedeutungsrichtun=
gen unter sich gütlich getheilt? Es war zu alle=
dem weder eine Veranlassung noch eine Möglich=
keit, und dennoch wissen wir sehr wohl, was wir
unter Karl zu verstehen haben, und dagegen die
Schweden ebensowohl, daß karl Mann bedeutet.

Die Römer verstanden unter den grauen Haaren
keine schwarzen, die Inder unter den schwarzen
keine grauen, obwohl beide genau dasselbe Wort
hier in entgegengesetzter Bedeutung gebrauchten.
Und warum das? Weil die Bedeutungen so langsam und unmerklich auseinandergegangen waren
und sich festgestellt hatten, daß Niemand der Veränderung sich bewußt werden konnte; weil Jeder
das Wort immer ebenso brauchte, wie seine Umgebung es verstand, und es auch ebenso zu gebrauchen glaubte, wie seine Vorfahren es gebraucht
hatten. Cicero würde sich nicht wenig gewundert
haben, zu erfahren, daß canus jemals schwarz
bedeutet hatte, eben wie wir uns wundern zu
vernehmen, schlecht habe dereinst so sehr etwas
Gutes bezeichnet, daß es bei Luther heißt: „was
uneben ist, soll schlechter Weg werden,“ und einige
Jahrhunderte früher sogar von Gott gesagt werden
konnte: „er thue Nichts als Schlechtes.“ [31]

Langsame Entwickelung, Hervortritt des Gegensatzes aus unmerklichen Abweichungen ist historisch
überall die Ursache der Bedeutungsvertheilung einer-,
des Verständnisses andererseits. Wir müssen uns

nun die Frage vorlegen, ob es immer so gewesen, ob alle Sprachschöpfung aus diesem Processe habe hervorgehen können, oder ob irgendwo eine große geistige Katastrophe bemerkbar werde, welche ganz plötzlich bestimmten Lauten bestimmte Bedeutungen zugetheilt, bestimmte Begriffe in Lauten ausgeprägt habe, die ihnen, sei es von Natur auf irgend eine unbegreifliche Weise angemessen, sei es willkürlich für sie ausgewählt worden seien? Ich habe eine solche Katastrophe nirgends gefunden, und glaube mit den Kräften, deren Wirklichkeit bewiesen ist, und die, soweit die Geschichte reicht, in der Sprache stets thätig sind und waren, für alle Zeiten völlig auszureichen. Ich habe keinen Punkt aufzufinden vermocht, wo irgend ein Begriff auftauchte, der nicht von einem andern schon vorhandenen ab-stammte, wo also der Geist gezwungen wäre, sich für irgend eine Vorstellung ein Zeichen von außen, etwa an einem Schalle, zu suchen, oder auch in Folge eines neuen Eindruckes zu einer neuen Laut-bewegung Veranlassung zu bieten.

Was zunächst die abgeleiteten Wörter im Ge-gensatze zu den Wurzeln, oder besser gesagt, alle wirklichen Wörter, demnach die ganze Sprache bis auf einen verhältnißmäßig kleinen Rest betrifft, so läßt sich über sie nicht füglich zweifeln. Ebendasselbe, was uns zwischen Hebel und Heber unterscheiden lehrt, lehrte auch die Inder, daß das Participp der Wurzel dha, nämlich hita, den Begriff gut, eine Substantivbildung derselben, dhâtu, die Bedeutungen Metall, Element, Sprachwurzel, und dagegen dhâtri Schöpfer ausdrücken sollte; daß ferner dhâman Stätte, Gesetz, Zustand heißen sollte, während das lautlich identische griechische Thema eine Reihe anderer Bedeutungen entwickelt, und Thesis das uns hier vielfach beschäftigende Wort für willkürliche Festsetzung ist. Durch die Flexionsform werden alle diese Begriffe nur etwa zu: gesetzt, Satz, Setzendes, Satzung bestimmt.

Von den Zeitwörtern ist in allen indogermanischen Sprachen die ganz unverhältnißmäßige Mehrheit mit Partikeln zusammengesetzt; die einfachen Zeitwörter schwinden in der Folge immer mehr aus dem Gebrauch. Hier ist es nun überall ganz klar, daß die Zusammensetzung an sich einen vielfachen Sinn zuläßt, und daß der Sprachgebrauch über die wirklichen Bedeutungen entscheidet; den speciellen Sinn z. B. der Verba umbringen, verstehen, verfassen, ersetzen, empfinden, oder der selbst noch mehrdeutigen aufheben, ausschlagen, kann auch, wer die Bestandtheile kennt, nicht ohne Kenntniß des Sprachgebrauchs, und zum Theil auch noch des Zusammenhangs, errathen. Auch dies war schon in sehr früher Zeit so; in den Vedaliedern findet sich schon ein ebenso detaillirter Gebrauch zusammengesetzter Zeitwörter, ja einige scheinen in die vorindische Urzeit zurückzureichen.

Die ableitenden Bestandtheile selbst haben ebenso wechselnde Schicksale, eine ebenso allmähliche Entwicklung und Entstehung gehabt. Das zur Ableitung gewordene thum ist wesentlich dasselbe mit dem erwähnten Thema, dhâma; es bedeutet Stätte und Zustand, z. B. Heiligthum, Alterthum, Irrthum, engl. wisdom, altnordisch barndomr, Kindheit. Die Ausbildung dieser Ableitungssilbe ist selbst offenbar nichts, als eine durch den Sprachgebrauch bewirkte mehrfache Verwendung des einst selbstständigen Wortes in

Abweichung von dem sonstigen Gebrauche der Indo=
germanen. Ein anderes ebenfalls nur germani=
sches Ableitungsmittel ist schaft, ohne Zweifel
mit schaffen verwandt. Man könnte glauben,
das damit gebildete Eigenschaft, als die eigene
Beschaffenheit, sei naturgemäß von Eigenthum,
der eigenen Stätte, unterschieden; aber im Mittel=
hochdeutschen vertrat Eigenschaft auch das letztere,
erst einer neueren Zeit angehörige Wort, [22] und auch
hier hat also erst der Sprachgebrauch den Begriff
fixirt. „Jeder Dialect," sagt Grimm (D. Gr. II.
395), „und in jedem Zeitraum pflegt und verviel=
facht gewisse Ableitungen vor andern. So ist be=
merkt worden, daß die althochdeutschen Abstracta
auf ida, nissi und unga im Mittelhochdeutschen viel
geringeren Umfang erhalten, desgleichen die Mascu=
lina auf ing allmählich aussterben, wogegen die
neuhochdeutschen Feminina in sich ausgebreitet ha=
ben. Eigenthümlich der gothischen Sprache ist die
Ableitung ubni; von ung, oht, inna weiß sie
nichts. Der althochdeutschen fremd sind die gothi=
schen und altnordischen Verbalia auf ns, die goth.
und altnord. Verba auf nan, na; aber die aus

Participien prät. gebildeten Feminina wiederum
bloß althochdeutsch. Die altnordische kennt nichts,
was dem althochd. nissi, ahi und innu entspräche,
wofür ihr die Neutra auf indi, Verba ka eigen
find. Im Schwedischen und Dänischen haben die
else weit um sich gegriffen; nt, nk findet sich bloß
althochdeutsch und angelsächsisch; ns bloß althoch=
deutsch. Selbst innerhalb derselben Mundart laffen
sich hin und wieder engere Grenzen ziehen."

Wird man sich wundern, wenn bei der Ver=
gleichung von verwandten Sprachen dasselbe Ge=
setz, nur noch entschiedener, zu Tage tritt? Wo
find unsere Abstracta auf niß, gothisch nassus,
ruffisch nostj [33], im Griechischen, Lateinischen oder
Sanskrit, wo die gothische Adverbialendung ba,
z. B. in ubilaba, übel? Die Silbe ung, die wir
zur Bildung von Abstracten verwenden, kommt
im Sanskrit als anc zum Vorschein, und be=
deutet wärts. [34]

Die Form des lateinischen sogenannten Supi=
nums auf tum ist im Sanskrit als Infinitiv
verwendet, im Griechischen und Deutschen gibt
es keine grammatische Form dieser Art. Das

Englische hat Particिpien oder Infinitive auf ing, die sonst beispiellos in der indogermanischen Grammatik sind. Das Sanskrit und die slavischen Sprachen bilden das passive Participium, ganz ähnlich wie das Deutsche, bald mit t bald mit n, wobei jedoch die die Wahl zwischen beiden Formen bestimmenden Bedingungen in den Sprachzweigen verschieden sind [35]; im Lateinischen werden alle diese Participien auf tus (oder das daraus entstandene sus) gebildet, im Griechischen ist die entsprechende, ebenfalls nur mit t gebildete Form, Endung bloßer Verbaladjectiva. Wenn wir nun aber im Lateinischen plenus, voll, neben completus, angefüllt, stehen sehen, wie im Sanskrit pûrṇa neben pûrta: so liegt der Gedanke nah, daß n anfangs zur Ableitung von einigen Adjectiven mit passivem Sinn gebraucht, und erst in der Folge von einer oder der anderen Sprache regelmäßig zur Bildung von Participien verwendet worden sei. Unsere Endung der Imperfecte, te, ist nachweisbar aus that entstanden, gehört also derselben Wurzel dha an, die wir in so mancherlei Verwendungen schon beobachtet haben. Zu ähnlichen Zwecken wird sie auch in der Conjugation anderer Sprachen an= gewendet, aber doch stets mit Abweichungen in der Function, die nur dem Gebrauche zugeschrieben werden können. Man fasse irgend ein Forma= tionselement auch der ältesten Zeit bestimmt seiner Entstehung nach ins Auge, z. B. das der Ur= sprache schon angehörige s des Nominativs: man wird nicht umhin können, immer wieder denselben Proceß anzunehmen.

Alle Analogie wird nur durch die Voraus= setzung einer ähnlichen Entstehung erklärlich. Die Bedeutungskategorien, welche z. B. durch die An= wendung einer bestimmten Ableitungssilbe entstehen, entsprechen Allem eher, als verständig gesonder= ten, klar gewählten Classen der Gegenstände; sie sind meistens ganz unfaßbar, logisch nicht darzu= stellen, und verrathen oft gar kein Eintheilungs= princip, oft ein wunderliches, werthloses, über= flüssiges. Es gibt Ableitungsendungen mit loben= dem oder tadelndem Sinn, einige drücken eine Krankheit, andere einen Stoff, eine Farbe, einen Ort, ein Werkzeug, ein Glied aus; einige deuten

die Beziehung auf Thiere, Menschen, Pflanzen
an. Wie wir eifern, hölzern, gläfern, so
sagt man im Lateinischen ferreus, ligneus, vitreus;
wenn aber der Stoff von einem Thiere herge=
nommen ist, so sagt man caninus, ferinus, an-
serinus, wofür wir nur Zusammensetzungen bil=
den: Hunde=, Wild=, Gänse=. Liegt diese Schei=
dung in der Natur der Endung? Gewiß nicht.
In marinus, vom Meere, divinus, göttlich, hat
dasselbe inus eine weit allgemeinere Bedeutung. —
Unsere tadelnde Endung isch ist erst neuhochdeutsch;
kindisch ist, wie in Grimms Wörterbuch (von
Hildebrand) nachgewiesen wird, erst im 18. Jahr=
hundert zu ausschließlich tadelnder Bedeutung ge=
langt, und stand selbst in Schillers Sprachgefühle
noch nicht ganz fest, daher er Stellen, in denen
er anfangs das Wort angewendet hatte, später
veränderte. Luther konnte das Evangelium noch
eine „kindische Lehre" nennen, während anderer=
seits kindlich sich noch im älteren Neuhochdeutsch
in einem Zusammenhange findet, wo wir nur
kindisch sagen können. „Das Wort," sagt Hilde=
brand, „war eben sittlich gleichgültig und erhielt

seine Färbung erst durch die Umstände." Wir
können hier den ganzen Vorgang geschichtlich ver=
folgen. Kindlich legte zuerst seine indifferente
Natur ab, und hörte auf, unter Umständen ge=
braucht zu werden, wo Verachtung ausgedrückt
werden sollte. Dadurch entstand ein Uebergewicht
tadelnden Gebrauches für kindisch, welches nun
immer entschiedener dem Ziele zustreben mußte,
das es erst gegen Ende des vorigen Jahrhunderts
definitiv erreichte. Aber der Vorgang ist ein nicht
auf dies Wort isolirter. Er steht im Zusammen=
hang damit, daß z. B. diebisch im 15. Jahr=
hundert das ältere dieblich ganz zu verdrängen
begann. Das bloße Vorhandensein dieses diebisch
war für ein jedes mit der gleichen Endung ver=
sehene Wort ein Stein mehr in der Schale der
nach der übeln Seite hin ausschlagenden Bedeu=
tung. Dennoch ist jene ursprüngliche indifferente
Natur der Endung nicht ganz verloren, wie
malerisch, kriegerisch u. A. zeigen. Solche
rein geschichtliche Vorgänge haben ihre vollständi=
gen Parallelen in älteren Schichten, die ganz
offenbar ebenso zu beurtheilen sind. Man ver=

gleiche z. B. die lateinische tadelnde Endung ax und daneben verax, wahrhaft.

Uebereinstimmung zwischen der neuesten und ältesten Zeit in Beziehung auf das Grundgesetz der Bedeutungsentwickelung gibt den Untersuchungen einen erhöhten Werth, welche über die romanischen Sprachen in so vollendeter Weise von Diez ausgeführt worden sind, und welche das wunderbare Phänomen neuentstehender Sprachen bis in die Einzelnheiten klar und verständlich vor Augen legen. Man lese in der berühmten „Grammatik der romanischen Sprachen" den Abschnitt über die Wortbildungslehre (besonders den ersten Abschnitt des dritten Buches) und staune über die Masse der theils neu entstehenden, theils aus lateinischen Endungen sich differenziirenden, theils zu einer Menge unendlicher Feinheiten der Begriffsunterscheidung sich zersplitternden Bildungsmittel.

Vielleicht wird man zu glauben geneigt sein, die Entstehung grammatischer Kategorien in den ältesten Sprachschichten, der wichtigsten Unterscheidungen zwischen den Redetheilen u. dgl. sei ursprünglich von anderem, festerem Stoffe ausgegangen.

Aber wenn indische Grammatiker über Ableitung aus Völkernamen Regeln aufstellen, die auf den Kastenunterschied des zu Bezeichnenden gegründet sind, so ist dieß ein jüngerer, aber offenbar analoger Vorgang, wie unsere Unterscheidung nach Geschlechtern. Bei etwas tieferem Eindringen bemerken wir, daß solche rein grammatische Unterscheidungen erst secundär sind, und sich spät und langsam aus einer Masse ganz anderartiger Classificationen klären und sondern. Der indogermanische Sprachstamm hat eine Kategorie von Verwandtschaftsnamen, wozu Vater, Mutter, Bruder, Schwester, Tochter, das lateinische levir (Schwager als Bruder des Gatten) u. A. gehören, und die älter ist, als manche grammatische Kategorie.

Die Frage, ob etwas eßbar ist oder nicht, oder auch ob es naß oder trocken, findet auf weit älteren Stufen ihre Berücksichtigung in der Wortbildung und Grammatik, als ob es ein Substantiv oder Adjectiv, ein Singular oder ein Plural ist. Andererseits haben unsere Sprachen noch heute einige wenige Spuren aus einer Zeit aufzuweisen, wo die Begriffsverschiedenheit, die wir durch grammatische Flexion ausdrücken, noch nicht scharf von der wurzelhaften gesondert war, die wir durch ganz verschiedene, nicht mit einander verwandte Laute getrennt erhalten. Es gibt z. B. eine Reihe Adjectiva, die in den indogermanischen Sprachen unregelmäßig gesteigert werden, namentlich: gut, besser, bonus, melior; dieses und die der ähnlichen Ausnahme unterworfenen Eigenschaftswörter entsprechen alle sehr geläufigen, früh ausgebildeten Begriffen. Die Steigerung war in ihnen dem Begriff nach schon vollzogen, ehe die Form der Comparation ausgebildet war; sie wurde ebenso unterschieden, wie wir gut und schlecht unterscheiden, nämlich durch verschiedene Wurzeln. So hat im Sanskrit varam, besser, kein Zeichen der Comparation. Das vielleicht damit zusammenhängende wohl wird nach demselben Princip in sämmtlichen germanischen Sprachen als Adverb zu gut verwendet. Aehnlich verhält es sich z. B. mit ich bin und ich war; von Begriffen jüngeren Ursprungs, von Zeitwörtern wie etwa fühlen, ist dergleichen beispiellos: denn als die Nothwendigkeit eintrat, sie nach verschiedenen Zeitverhältnissen anzuwenden, waren für diese die Flexionsformen längst durch jahrhunderte= langen Gebrauch festgestellt.

Der große Unterschied zwischen Sprachgesetz und Sprachregel, zwischen der unbewußten, un= willkürlichen Herstellung der Gesetzmäßigkeit und der bewußten Erkenntniß und Formulirung des Gesetzes, beruht in dem so eben dargestellten Ent= wicklungsgang der Sprachform. Die Sprache ist ein höchst wunderbarer, zarter, überall die be= stimmtesten und doch feinsten Gesetze verrathender Organismus; so sehr, daß auch ganz abgesehen von ihrer Zweckmäßigkeit, sie bloß wegen ihrer architectonischen Vollendung, welche wir ja auch an einem Bauwerke bewundern müßten, über dessen Zweck und Brauchbarkeit uns nichts bekannt wäre, alle Möglichkeit ausschließt, von Menschenhänden gemacht zu sein und menschlichem Bewußtsein zu entspringen. „Da sich ohne Sprache," sagt Schel= ling wahr und schön, „nicht nur kein philosophi= sches, sondern überhaupt kein menschliches Bewußt= sein denken läßt, so konnte der Grund der Sprache nicht mit Bewußtsein gelegt werden, und dennoch,

je tiefer wir in sie eindringen, desto bestimmter
entdeckt sich, daß ihre Tiefe die des bewußtvoll=
sten Erzeugnisses noch bei weitem übertrifft. —
Es ist mit der Sprache, wie mit den organischen
Wesen; wir glauben diese blindlings entstehen zu
sehen, und können die unergründliche Absichtlich=
keit ihrer Bildung bis ins Einzelnste nicht in
Abrede ziehen." [30]

In der That ist es undenkbar, daß auch nur
ein (für die Zwecke der Sprache doch ganz gleichgül=
tiges) Lautgesetz mit Bewußtsein gemacht werde.
Jedes beliebige Beispiel kann uns davon überzeugen.
Unser Zahn (ursprünglich dant) lautet griechisch
odús oder odón. Beide Formen sind aus odonts
entstanden: die erste, indem t wegfiel, denn die
griechische Regel lautet, daß t vor s nicht geduldet
werden darf; da aber nach einer andern Regel auch
n vor s nicht stehen bleiben soll, so fiel es eben=
falls aus, und o wurde nach einer dritten Regel
in ú verwandelt. Die andere, jonische Form odón
warf, um t vor s zu vermeiden, vielmehr das s
weg; nun aber trat eine vierte Regel in ihre Rechte,
nach der kein griechisches Wort mit t schließen darf:

das t fiel nun also ebenfalls weg, und nach einer
fünften Regel wurde dafür das o verlängert.[37] Bei
einer jeden Form, die wir sprechen, vollziehen wir
solche Regeln in Menge, und so complicirt sie
sind, so unverbrüchlich sind sie; so daß der Sprachforscher mit Recht bei einer jeden sogenannten
Ausnahme nach einer neuen Regel sucht, die die
Ausnahme begründet und veranlaßt. Dennoch,
wer hätte die Regeln erfinden sollen, und zu welchem Zwecke? wer weiß auch nur von ihnen, ohne
Grammatik und zum Theil Sprachforschung? Andererseits waren sie nicht immer vorhanden; die
Regel z. B., daß t kein Wort schließen darf, ist eine
erst selbstständig auf griechischem Boden entstandene. Solche Gesetze entstehen noch täglich, zeigen
sich in den lebenden Volksdialekten, wie in längst
ausgestorbenen Sprachen. Ein Volksdialekt, der
z. B. in Traum und Baum das au in a verwandelt, in Haus dagegen es unverändert läßt,
folgt hier ebenso unbewußt als consequent dem
etymologischen Gegensatze, wonach in Traum
und allen ähnlichen das au einen anderen Ursprung als in Haus hat und z. B. auch im

Englischen einen Gegensatz wie dream, house zeigt.* Die sogenannten Lautgesetze sind Lautgewohnheiten, welche sich ausbilden, festsetzen, wechseln, in verschiedenen Dialekten auseinandergehen, ohne jedes Zuthun des Bewußtseins.**

Soweit sich also die Sprache unserer Beobachtung erschließt, in Lauten und Begriffen, ist alles aus einem früheren Zustande hervorgegangen. Die Lautgestalt der Worte ist nicht immer so gewesen, wie sie ist; sie ist nach Lautgewohnheiten umgewandelt, und durch den Gebrauch festgehalten. Mit der Bedeutung der Wörter ist es ähnlich — bis auf die Wurzeln. Aber diese? Um diese hatte es sich ja eigentlich allein gehandelt. Wir müssen untersuchen, wie weit sich das bisher beobachtete Gesetz, Umwandlung der Begriffsfunction durch den Gebrauch, bis in das eigentliche Herz der Sprache hineinerstreckt.

Es ist oben von einer Wurzel da, binden, die Rede gewesen. Sie kommt z. B. im griechischen deô (woraus Diadem) vor, und ist vielleicht richtiger auf die Form dja zurückzuführen. Daneben existirt eine Wurzel dam, bändigen,

domare; und in der Bedeutung „bändigen" mit
diesem zusammentreffend ferner im Sanskrit jam.
Die Aehnlichkeit, welche zwischen diesen Wurzeln
und ju, verbinden, schirren, zügeln, binden
u. s. w. stattfindet, ist lautlich und begrifflich groß
genug, um z. B. auch das dieser (oder einer sehr
ähnlichen verlorenen) Wurzel entsprechende griechische *zónnymi*, gürten, mit *deô*, binden, zusammenzustellen. Es ist aber auch bekannt, daß
neben ju fast gleichbedeutend *jug*, jung, das
lateinische jungo, neben *zónnymi* auch *zeugnymi*,
schirren, steht, woher schon in der indogermanischen Urzeit das Wort Joch gebildet war. Endlich gibt es unzweideutige Spuren, daß eine Wurzel
von gleichem Begriff auch mit anlautendem g
vorhanden war. Im Sanskrit steht neben dam-
patî, Ehegatten, das gleichbedeutende *gampatî*;
neben jama, Zwilling, *gámi*, Geschwister, und
im Lateinischen gemini, Zwillinge. Jámi heißt
im Sanskrit sowohl Schwester als Schwiegertochter; das letztere heißt auch *gámâ*; Schwiegersohn heißt *gámâtri* und *jâmâtri*. Man sieht,
daß auch *gambros*, goner, Schwiegersohn, ferner

jâtṛi, flavisch jentry, *cinateres*, janitrices, [40] Frauen, die Brüder zu Männern haben, also Schwiegertöchter von deren Eltern sind, und *gamos*, Ehe, ebensowohl als *damar*, Gattin, hierher gehören. Es kann hier nicht meine Absicht sein, die gewaltige Menge von Formen und Begriffen, die unter die hier zusammengestellten Wurzeln fallen, aufzuführen; auch will ich nicht versuchen, die ursprüngliche Gestalt derselben und den Lauf ihrer Verwandlungen festzustellen. [41] Es genügt für den gegenwärtigen Zweck, daran zu erinnern, daß damas, das Haus, und jamas, der Zwilling, nebst *gamos*, Ehe, in der Form der Wortbildung sich nicht unterscheiden; die Trennung der Bedeutung beruht allein auf der verschiedenen Form der Wurzeln. Alle drei Benennungen gehen von dem Begriff verbinden aus: Haus ist der verbundene Bau, Zwillinge das verbundene Paar, Ehe die Verbindung. Es setzt sich also dasselbe Spiel der Bedeutungscheidung durch die Form innerhalb der Wurzeln ebenso, wie innerhalb der Ableitungen fort. Wie wir einen Bund von einem Band durch die Wortbildung

unterscheiden, einen an sich gleichgültigen Laut=
gegensatz zu Begriffsverschiedenheit verwendend,
so gebraucht schon das älteste Sanskrit abweichende,
aber verwandte und anfangs gleichbeutige Wur=
zeln mit ganz ähnlichem Erfolge. Und wenn
Zaum, wie ich nicht zweifle, von der Bedeutung
Band oder Riemen ausgehend, zu einer der hier
behandelten Wurzeln gehört (ebenso wie zahm,
ziemen, und Zunft nebst *démos* [a]), so läßt sich
wohl behaupten, daß Zaum und Joch, so ver=
schieden sie auch im Laute, sowie nach den Um=
ständen, Zeiten und Orten der Festsetzung ihrer
Form und ihres Begriffes sein mögen, doch an
sich durchaus verwandte Wörter sind. Ueberhaupt
aber ist es, was die Vertheilung der Begriffe
betrifft, für den ganzen Complex der innerhalb
des geschilberten Wurzelkreises fallenden Wörter
unverkennbar, daß es, abstract genommen, auch
anders hätte kommen, und z. B. ebensowohl *jama*
das Joch, und *juga* Haus hätte bedeuten können.

Man wird vielleicht zunächst annehmen, daß
die Gleichgültigkeit für die Bedeutung, die Frei=
heit in der Wahl der einen ober andern Wurzel

zur Bezeichnung eines bestimmten Begriffes, aus
der nahen Verwandtschaft dieser Wurzelformen
herrühren, die sie als bloße Variationen einer einzigen erscheinen läßt. Aber ich habe schon in
meinem größeren Werke an einem anderen Beispiele gezeigt, daß die Wurzeln durch den ganzen
Lautvorrath der Sprache hindurch schwanken und
variiren können, wo denn diese Scheidung zwischen Variationen und wesentlichen Unterschieden
unmöglich wird. Das Ergebniß wird indessen ganz
dasselbe sein, wenn wir hier nur einige Wurzeln
ins Auge fassen, welche für den Begriff „binden"
in den Sprachen des indogermanischen Stammes
wirklich im Gebrauche sind. Zunächst findet sich
das dem deutschen b i n d e n entsprechende bandh
schon im Sanskrit als regelmäßige Vertretung
desselben Begriffes, und als Ableitung davon
bandhu, Verwandter, Gatte, Bruder; im Griechischen ist unter andern *pentheros*, Schwiegervater, schon von Pott dazu geordnet worden;
im Lateinischen gehört foedus, Bund, und fides
in seinen beiden Bedeutungen: Saite und Treue,
nebst filum, Faden, fibra, Faser, fibula, Heftel

(wo d ausgefallen ist), hierher." Je weniger nun zwischen den Wurzeln *penth* und *gam* eine lautliche Vermittlung herzustellen ist, um so einleuchtender wird es, daß zur Benennung von Schwiegervater und Schwiegersohn in *pentheros* und *gambros* zwei ganz verschiedene, aber im Grundbegriff übereinstimmende Wurzeln gewählt und sogar mit gleicher Ableitungsform versehen worden sind, so daß hier Lautverschiedenheit der Wurzel dieselbe Rolle spielt, die wir so eben an der Lautvariation beobachtet, und die sonst auch bei gleicher Wurzel die bloße Verschiedenheit der Ableitungsmittel durchzuführen pflegt.

Bezweifelt man hier, daß es auch anders hätte kommen können, daß *pentheros* etwa den Schwiegersohn hätte bezeichnen können? Es ist sogar hier wirklich auch anders gekommen; denn *pentheros* wurde von Sophokles auch für den Schwiegersohn gebraucht", während Euripides umgekehrt *gambros* auch für Schwiegervater brauchte." In unserem Schwager, Schwäher, Schwieger und den zahlreichen indogermanischen Formen, im lateinischen *socius*, Genosse, ferner in Schwester

ist eine weitere ganz unähnliche Wurzel des Verbindens angewendet; wieder eine andere findet sich
in Tochter. Sippe schließt sich an das griechische haptö an[16]; kasis, Bruder, Schwester, erklärt sich, wie ich glaube, aus dem lateinischen
catena, Kette[17]; und vielleicht heißt der Name des
sterblichen Zwillingsgottes Kastor, des Jama der
Griechen, eben nichts als dieser indische Name
selbst, nämlich Zwillingsbruder, wobei die
Endung die der Verwandtschaftsnamen wäre, wie
z. B. auch in phratör, eupatör. An nepos, Enkel,
Neffe, reihen sich eine Menge von Verwandtschaftsnamen, welche es sehr wahrscheinlich machen, daß
hier eine Nebenform der im Lateinischen für „binden"
gebräuchlichen Wurzel von nectero zum Grunde
liegt. Im Sanskrit finden wir napât, naptri,
Sohn oder Enkel, im Altnordischen neß und nidhr,
Sohn, Verwandter; im Gothischen nithjis, Verwandter, griechisch anepsios, Vetter[18]; daneben noch
besondere Feminina wie neptis, Enkelin, Nichte,
altnordisch nift, Schwester, Braut, althochdeutsch
nift, Enkelin, Nichte, Stieftochter; endlich Nichte,
welches, eigentlich niederländisch, außer Enkelin

und Bruders = oder Schwestertochter auch Tante bedeutet. [49] Auch aus einer andern, der erwähnten sehr nahestehenden Wurzel des Verbindens, nabb, entspringen Wörter der Verwandtschaft, namentlich das lateinische nubo, verheirathet werden, [50] und das griechische *nymphé*, Braut, Neuvermählte, junges Weib, Mädchen. — Braut, welches auch, wie das französische bru, Schwiegertochter bedeutete, hat einen ähnlichen Ursprung [51]; daher der Zusammenhang des Wortes mit Bruder. [52] Vereinigung der Begriffe Braut und Schwiegertochter, Bräutigam und Schwiegersohn findet sich auch im Hebräischen, und hier sind Schwiegersohn und Schwiegertochter deutlich die älteren Begriffe. Das Verhältniß von Braut und Bräutigam ist für die alte Zeit ein bloß momentanes: sie sind die eben Vermählt= werdenden, ein Begriff, der in „Brautkleid", d. i. Hochzeitskleid, noch vorhanden ist. Die hebräischen Wörter deuten nicht die Beziehung zwischen den Neuzuvermählenden an; vielmehr werden Bräuti= gam, Schwiegersohn und Schwiegervater mit den verwandten und correlativen Wörtern chatan, choten [33] bezeichnet: so als ob Dieser als der in

das Band der Familie Aufnehmende, Jener als
der Aufgenommene benannt werden sollte. In dem
Hohenliede ist der Begriff Braut noch nicht so=
weit entwickelt, daß der Ausdruck „meine Braut"
möglich wäre: er wird umschrieben durch „meine
Schwester Braut"[34]; denn kallati würde „meine
Schwiegertochter" bedeuten. Diese Sonderbarkeit
hängt ohne Zweifel mit dem Zustande der Familie
in der Urzeit zusammen. Für das Verhältniß von
Mann und Weib bestanden Worte mit den Be=
griffen Gatte und Gattin; ein die Ehe vorberei=
tendes Band war nur zwischen den Familien ge=
knüpft. Mancherlei Anzeichen deuten darauf, daß
bei den Griechen das Verhältniß kein anderes war,
und so wird denn von dem besprochenen *gambros*
außer Schwiegersohn, Schwiegervater und Schwager
auch die Bedeutung Bräutigam überliefert.[35]

Es bedarf kaum der Bemerkung, daß es außer
den angeführten noch viele andere Wurzeln von
der Bedeutung des Verbindens in den indogerma=
nischen Sprachen gibt, wie denn z. B. im Latei=
nischen ligare, in den slavischen Sprachen vjazitj,
im Litthauischen und Altpreußischen riszti, per=

reist (womit Pott [36] das lateinische restis, Strick, verglichen hat,) die gebräuchlichen Zeitwörter für den Begriff find. Auch ist es wohl selbstverständlich, daß in den angeführten Wurzeln noch eine Menge anderer Bedeutungen enthalten sind, z. B. in der Wurzel sva entwickelt sich der Begriff eigen und die Fürwörter sich, sein; neben Sippe das Zahlwort sieben u. s. w. Jus, Eid, Recht, hat Benfey gewiß richtig aus ju, verbinden, erklärt, und im Hebräischen scheint das Zahlwort sieben mit dem Begriffe des Eides zu Einer Wurzel zu gehören. [37] Man kann also sehr wohl fragen, ob jus nicht ebensogut die Bedeutung der Verwandtschaft, oder Sippe die des Eides hätte ausprägen können? wie denn wirklich beide Begriffe in zwei Wörtern, welche Benfey ebenfalls von einer der mit ja anlautenden Wurzeln ableitet, nämlich Eid und Eidam, einander äußerst nahe stehen. Die Bedeutungen Gesetz, Bund, Ehe vereinigt dies letztere deutsche Wort — althochdeutsch êwa — das vielleicht wieder mit jus eines Stammes ist.

Auf Grund dieses Thatbestandes habe ich also behaupten zu müssen geglaubt, daß das auf der

Oberfläche der Sprache beobachtete Gesetz, welches
einem jeden Laute einen bestimmten Begriff und
umgekehrt entsprechen läßt, in größeren Tiefen ver=
schwindet, indem ganz im Gegentheil jeder Laut
jeden Begriff bezeichnen, jeder Begriff durch jeden
Laut bezeichnet werden kann; und ferner, daß die
Sonderbedeutung, die ein Laut im Laufe der Zeit
schließlich erlangt hat, immer ein Resultat des
bloßen Zufalls, oder mit andern Worten: der
Entwickelung ist.

III.

Die Wurzellaute vereinigen sämmtlich eine große Menge von Begriffen auf sich, und erscheinen dabei zugleich in mehreren, so sehr als nur möglich verschiebenen Lautformen mit wesentlich gleichen Grundbegriffen. Innerhalb derselben ist die Frage nach der Vertheilung der Einzelbedeutungen durch Natur oder Uebereinkunft verschwunden; das Princip der Vertheilung ist: Sprachgebrauch, unbewußte Gewöhnung, Zufall. Aber wie verhält es sich mit dem Anfangszustand selbst, vor dieser Vertheilung? warum wurde eine solche Masse von Begriffen unter einen einzigen Laut zusammengefaßt, und noch dazu mehreremale in ähnlicher Weise? — Es lassen sich in dieser Hinsicht mehrere Erklärungen denken. Man kann sich vorstellen — und dies ist die ziemlich allgemein ver-

breitete, und auf den erſten Blick auch wahrſchein-
lichſte Meinung — daß anfangs eine Anzahl von
Wurzelbegriffen, z. B. verbinden, jeder einen
beſtimmten Wurzellaut für ſich gehabt habe; ein
anderer hätte z. B. nur tönen, ein dritter nur
zerreißen u. ſ. w. bedeutet. Mit einem ſolchen
Wurzellaute nun hätten die Menſchen z. B. außer
dem Begriff verbinden ſelbſt, auch ein Band,
ein Joch, eine Bundesgenoſſenſchaft, einen Eid,
ein Recht, einen Verwandten, einen Bruder bezeichnet. Der Menſch erkannte in allen dieſen
Dingen etwas Aehnliches, erkannte, daß es etwas
Verbindendes iſt, und nannte es, um mit Max
Müller zu reden, vermittelſt der ſeiner Vernunſt
dafür zu Gebote ſtehenden phonetiſchen Typen.
Das Bild, das ſich für das Weſen des Menſchen
aus dieſen Vorausſetzungen ergibt, entwirft der-
ſelbe Schriftſteller mit folgenden Worten: „Der
Menſch würde weder einem Baume, noch einem
Thiere oder Fluſſe oder irgend einem andern Ge-
genſtande, für welchen er ſich intereſſirte, einen
Namen geben können, ohne zuerſt eine allgemeine
Qualität zu entdecken, welche ihm zu der Zeit

seiner Beobachtung als das auffälligste Merkmal des zu benennenden Gegenstandes erschien. Auf der tiefsten Stufe der Sprache würde schon eine Nachahmung des Wieherns eines Pferdes hingereicht haben, um das Pferd zu benennen... Dies ist nicht der Weg, auf dem sich die Wörter unserer Sprache gebildet haben. Es ist keine Spur des Wieherns in den arischen Namen für das Pferd zu entdecken." [54] — „Alles Benennen ist Classification, Einordnen des Individuellen unter das Generelle, und Alles, was wir empirisch oder wissenschaftlich kennen, kennen wir nur vermöge unserer allgemeinen Ideen. Die andern Thiere besitzen auch Empfindung, Perception, Gedächtniß und in gewissem Sinne sogar Verstand; aber alle diese Vermögen stehen bei dem Thiere nur mit einzelnen Gegenständen in Beziehung. Der Mensch hat Empfindung, Perception, Gedächtniß, Verstand und Vernunft, und nur die Vernunft steht mit allgemeinen Ideen in Beziehung. Durch die Vernunft stehen wir nicht allein eine Stufe höher als die Thierwelt, wir gehören durch sie einer ganz andern Welt an." — „Die Sprache ist unser

Rubicon, und kein Thier wird wagen, ihn zu über-
schreiten. Dies ist unsere thatsächliche Antwort, die
wir denen ertheilen, welche von Entwickelung reden,
welche wenigstens die Uranfänge aller menschlichen
Fähigkeiten im Affen zu entdecken glauben." [30]

Es tritt nun aber freilich bei einer solchen
Annahme das Mißliche ein, daß Wurzeln dieser
Art, welche nur das Allgemeine bezeichneten,
worunter eine solche Menge von Einzelheiten fiel,
unmöglich verstanden werden konnten. Was ist
für ein Verständniß von einer Sprache zu hoffen,
welche nur aus solchen Wurzeln wie binden und
tönen besteht? Kann man damit einen Satz zu-
sammensetzen wie: „der Bruder spricht?" Oder
kann man mit einer Wurzel, die binden bedeutet, von dem Eide eines Verbündeten sprechen?
Pott macht, gelegentlich der mannigfaltigen Anwendung der nach allen Richtungen hin von ihm
durchforschten indogermanischen Präpositionen, einmal die Bemerkung, daß Vieldeutigkeit überhaupt
in der menschlichen Rede gar nicht möglich sei,
ohne das Verständniß geradezu aufzuheben. Er
glaubt daher den Grundsatz unumstößlich festhalten

unb auch praktisch in Anwendung bringen zu
müssen: „die Wörter an sich sind gar nicht
vieldeutig, sie haben wahrhaft nur einen Sinn,
nicht zwei, nicht drei oder mehr." Der Schein
der Mehrbeutigkeit entspringt nach Pott aus der
Verschiedenheit der Anwendung, wobei immer „die
Verschiedenheit (die Beziehung auf ein Verschie=
denes) außerhalb des jedesmal fraglichen Wortes
fällt, nicht in dasselbe."[60]

„Ich läugne freilich," fährt er fort, „nicht die
Vielheit der Anwendungen eines Wortes: im
Gegentheil, ich möchte eher sagen, jedes Wort
wird in jedem neuen Zusammenhange, wechsel=
seitig diesem ein besonderes Licht verleihend
und von dort empfangend, auch gewissermaßen
stets ein Anderes, mindestens anders gefärbt.
Umgekehrt aber, wie sollte in die an sich so
flüssigen Sprachen begrifflicher Seits nur irgend
Festigkeit kommen, herrschte nicht in dem oft äußerst
mannigfachen Bunterlei der Anwendungen, welche
ein Wort entweder nach dem üblichen Sprach=
Usus noch wirklich erleidet oder einst erlitt, viel=
leicht gar nachgiebiger Weise inskünftige sich gefallen

laſſen muß, herrſchte nicht in dieſer Vielheit, welche ſtets auseinanderzufahren droht, gleich dem Kerne des Kometen inmitten des ihn umfließenden Nebeldunſtes, eine ſie zuſammenbindende einheitliche Macht, von, ſich nun, ſeit ihrem Urſprunge, ewig gleichbleibender Unveränderlichkeit?"

Was kann nun aber in die alleinſtehenden Wurzeln, vor aller Flexion, und zwar in lauter ſolche Wurzeln von den umfaſſendſten Begriffsgebieten, die Verſchiedenheit der Anwendung für eine Aufklärung tragen? „Die Schweſter dem Gatten freien" iſt ein für uns leicht verſtändlicher Ausdruck, weil wir in „gatten", in „freien" und der alten Wurzel sv drei verſchiedene Ausdrücke des Verbindens haben, die der Sprachgebrauch differenziirt hat." Aber in einem Sprachzuſtande vor jedem, von Pott, wie es ſcheint, etwas verächtlich angeſehenen „Sprach-Uſus," gibt es gar keine Möglichkeit der Unterſcheidung, gar keine Verſchiedenheit der Anwendung. Und wenn gar die den Begriff verbinden ausdrückende Wurzel nur eine einzige iſt, ſo gibt es auch nichts zu differenziiren, und der Gebrauch findet keinen

Stoff zur Entwickelung von Sonderbedeutungen.
Die Entwickelung der Sprache wird somit unmög=
lich; und nicht genug, daß ein solcher Urzustand
kein Mittel des Verständnisses enthält, er enthält
nicht einmal den Keim, jemals zu einem solchen
Mittel zu gelangen, und aus seiner Hülflosigkeit
herauszukommen. Man sieht also, was es mit
der vermeintlichen Gesundheit der ersten Sprach=
periode für eine Bewandtniß hat, wo es weder
Mehrdeutigkeit noch Mehrlautigkeit gegeben ha=
ben soll.

Wir müssen demnach diese Vorstellung von
dem Urzustande der Wurzeln gänzlich aufgeben,
und uns nach einer anderen umsehen. Wir kommen
dabei über eine Alternative nicht hinaus: ent=
weder wir müssen an den Anfang der Sprache
soviel von einander ganz unabhängige Laute setzen,
als Begriffe zu bezeichnen waren. Dann müssen
wir freilich alles läugnen, was die historische
Sprachwissenschaft uns gelehrt hat. Es gibt dann
keine Wurzeln, sondern das Eisen, wie das Gold,
die verschiedenen Thier= und Pflanzenarten, wo
nicht gar Individuen, die moralischen Beziehungen,

die grammatischen Verhältnisse, alles hat von Anfang an seine Benennung für sich. Aber freilich
kann alsdann auch von keiner Classification und
Erkenntniß des Allgemeinen mehr die Rede sein;
auch ist die Entstehung einer derartigen Sprache
und ihres Verständnisses nicht wohl begreiflich;
noch weniger, wie sie sich zu einer unserer historischen Sprachen, die auf Wurzeln ruhen, welche
das Allgemeine bezeichnen, hätte entwickeln können.

Das einzige der Wirklichkeit entsprechende,
mit dem Zwecke des Verständnisses vereinbare,
zugleich auch Entwickelung zulassende Verhältniß
ist Mehrlautigkeit und Mehrdeutigkeit der Wurzeln. Dies ist die noch übrige und allein noch
denkbare Alternative. Nur hierdurch ist es in
einer Sprachperiode vor aller Flexion möglich,
z. B. alle einzelnen Dinge, die als irgend wie
verbindend oder verbunden angeschaut werden sollen,
zugleich zu unterscheiden und dennoch wieder unter
den gemeinsamen Begriff zu vereinigen. Je mehr
solcher gleichdeutigen Wurzeln es gibt, um so
glücklicher für die Zwecke der Bezeichnung.

Betrachten wir nun mehrere solcher Wurzeln,

wie wir sie in der Wirklichkeit vorgefunden ha=
ben: die eine bedeutet verbinden und Joch,
die andere verbinden und Bruder, die dritte
verbinden und Recht. Wie ist dies Zusam=
mensein der vereinzelten Bedeutung mit der allge=
meinen zu erklären? Ganz ohne Zweifel nur so,
wie der Verlauf aller sprachlichen Entwickelung
es uns gezeigt hat: die vereinzelte Bedeutung
hat sich durch den Gebrauch festgesetzt, wie schon
allein durch die verschiedene Festsetzung in ver=
schiedenen der verwandten Sprachen bewiesen wird.
Dann ist aber wieder nur zweierlei möglich: ent=
weder die sämmtlichen Specialbedeutungen waren
anfangs in allen gleichdeutigen Wurzeln vorhan=
den, und sind nur in der einen zu einem Theile,
in der andern zu einem andern Theile ausge=
storben; oder die Specialbedeutungen sind erst
hinzugekommen, die allgemeine ist die ursprüng=
lich allein vorhandene. Beide Fälle sind in ihrem
Resultate ganz gleich. Der Mensch hatte in beiden
Fällen kein Mittel der Bezeichnung des Speciellen.
Scheinbar ist dieses Resultat auch dem der ersten
unserer Voraussetzungen gleich; der Vortheil mehr=

facher gleichbeutiger Wurzeln ist wieber verschwun=
ben, unb wir sinb wieber eben ba, als ba wir
eine Reihe von Wurzeln annahmen, jebe von
ber anbern geschieben, jebe einen bestimmten
unb besonberen Begriff bezeichnenb. Nur ist
bies Berhältniß bas allein mit ber historischen
Gestalt ber Sprache vereinbare, unb macht über=
bies eine Entwickelung, unb zwar eine sehr er=
klärliche, zu bem gegenwärtigen Zustanbe ber
Sprache möglich.

Aber wir sinb noch nicht zu Enbe. Die Wur=
zeln sinb nicht nur vielbeutig in bem Sinne,
baß alles, was sich aus einer Wurzel entwickelt,
in ihr ungeschieben vorhanben ist; sie haben selbst,
wie uns oben bie Wurzel da gezeigt hat, welche
außer verbinben auch z. B. zertheilen (griechisch
daid) heißt, oft ganz heterogene, ja entgegenge=
setzte Bedeutungen zu gleicher Zeit. Das ist Zu=
fall, werben ohne Zweifel hier gerabe Diejenigen
sagen, bie jeber Sprachform gern ihre feste, ur=
sprünglich scharf von einer anbern gesonberte Be=
beutung zuschreiben, unb baher Entstehung ber
Bebeutungsverschiebenheit aus Zufall so wenig

als möglich anerkennen. Gleichwohl ist es ganz allgemein so, und muß auch wohl so sein: denn wenn eine Bedeutung unter allen Formen vorkommen soll, so muß auch jede Form alle Bedeutungen haben, und dies ist wirklich oder doch nahezu der Fall. Aber allerdings waltet auch hier wieder der Zufall. Die Wurzeln selbst haben ihre bestimmten Bedeutungen in Folge desselben Princips erhalten, wie später innerhalb ihrer die abgeleiteten Wörter.

Schon hier sehen wir nun aber die Sprache völlig unbrauchbar, ganz unfähig etwas Verständliches auszudrücken. Welches ist der Anfang dieses Processes? Unsere Wurzeln sind die Urwurzeln nicht; wir haben vielleicht von keiner einzigen die erste, ursprüngliche Lautform mehr vor uns, ebensowenig wohl die Urbedeutung. Die Festtellung historisch gegebener Wurzelbedeutungen geht in eine so frühe Zeit zurück, daß die Quelle der Sprachvergleichung begreiflicherweise hier sehr spärlich, wenn überhaupt, fließen kann. Aber wir können doch wenigstens so viel einsehen, daß die Urwurzeln nichts Klareres, Bestimmteres, Ver-

einzelnes bedeutet haben können, als die histori=
schen Wurzeln. Die Entwickelung der Sprache
wäre sonst aus ihnen ebensowenig möglich ge=
wesen, als die der Sonderbegriffe aus Wurzeln,
die nichts Allgemeines bezeichneten. Und hier ist
nun der Punkt, wo das Problem der Sprache
das Problem der Vernunft zu werden beginnt.

Das Vorhandensein allgemeiner Begriffe
in dem menschlichen Denken bildet von jeher eine
wichtige Grundfrage in der Philosophie. Der
Gegensatz zwischen Empfinden und Denken wurde
schon den ältesten griechischen Philosophenschulen
Veranlassung zu Forschung, Zweifel und Kampf,
und der Zusammenhang dieses Gegensatzes mit
dem des Einzelnen und Allgemeinen wurde früh
und lebhaft erfaßt. Diese Frage war jedoch im
Alterthum keine eigentlich logische, noch weniger
eine psychologische, sondern das, was wir meta=
physisch nennen würden. Es handelte sich nämlich
darum, welche von den Erscheinungen der Welt
die wahre sei, ob die Dinge so wären, wie sie
sich den Sinnen, oder so, wie sie sich dem Verstande
darstellen. Die Sinne nehmen nur Individuelles

wahr, der Verstand Allgemeines. Welche von
diesen Auffassungen gibt uns eine richtige Erkennt=
niß von dem Wesen der Dinge? Ist die Sinnes=
wahrnehmung die einzig gewisse, oder täuschen uns
die Sinne und werden von dem Verstande be=
richtigt? Mit den Sinnen nehmen wir nur einen
einzelnen bestimmten Menschen wahr, einen Ferdi=
nand, einen Alexander, keinen Menschen als sol=
chen; kein Thier, keinen Vogel, ja nicht einmal
eine Taube als solche, sondern immer nur eine
individuelle Taube von einer bestimmten Größe,
Farbe, Gestalt. Dennoch enthält der allgemeine
Begriff immer das Wesentlichere des Dinges; daß
eine Taube schwarz oder blau ist, ist eine unbe=
deutende Modification gegenüber dem Typus der
Natur, durch den sie Taube ist. Eine solche
Schlußfolgerung war es, die zu der Ideenlehre
Plato's führte. Plato nahm an, die in den
Gattungen und Classen der Natur zum Vorschein
kommenden Typen der Dinge würden durch die
Begriffe erkannt. Diese wesentlichen Gestalten der
Dinge sind der Natur ebensosehr anerschaffen, als
dem menschlichen Verstande angeboren. Zur Er=

klärung des Problems, wie der Verstand mitten
unter aller Verschiedenheit der Individuen diese
wesentlichen Gestalten herauserkenne, nahm er die
Lehre von der Seelenwanderung zu Hülfe. Die
individuellen Verschiedenheiten sind ihm Abweichun=
gen, Ausartungen von dem Urtypus: die Urtypen
waren dereinst — und sind außer den Einzel=
wesen ewig — rein und ohne Entartung vorhan=
den; die Seele lebte vor ihrem irdischen Aufent=
halte mit ihnen vereint. Eine dunkle Erinnerung
aus jener Zeit ist in ihr noch vorhanden, und
wird durch Lernen und Nachdenken geweckt. Daß
diese Erinnerung getrübt ist, daß die sinnliche
Wahrnehmung den Verstand in der Erkenntniß
des Allgemeinen hemmt, daran ist der Körper,
der Stoff — die eigentliche Ursache der Entar=
tung — Schuld.

Auch Aristoteles war weit davon entfernt,
die Wesentlichkeit des Allgemeinen in der Natur
zu läugnen. Nur über die Art, wie die Er=
kenntniß desselben in uns zu Stande kommt,
weicht er von Plato ab. Er schreibt dem Men=
schen ein besonderes, dem Thiere mangelndes

Gedächtniß für die wesentlichen Eigenschaften zu. Das ganze Mittelalter beschäftigte die Frage über die Sonderexistenz von Objecten der allgemeinen Begriffe, die die Realisten behaupteten, die Nominalisten verneinten. Es ist von Interesse, daß nicht nur die arabischen Philosophen, in Abhängigkeit von den Griechen, die Frage über den Nominalismus erwogen, zu dem sie sich fast allgemein und unbedingt neigten, sondern daß derselbe auch zu den Unterscheidungslehren der Buddhisten gehört, indem diese nur den Individuen Existenz zugestehen.¹¹ Die nominalistischen Schulen betrachteten die Gattungsbegriffe als bloße Nomina; und diese Anschauung ging in die Neuzeit über, welche von der Voraussetzung aus, nur das Individuum habe Wirklichkeit, besonders seit Locke alles Allgemeine als bloße begriffliche Abstraction faßte, und sich nur noch die psychologische Frage nach der Art des Zustandekommens dieser Abstraction vorlegte. Schon Locke bemerkte, daß nur solche allgemeine Abstractionen in der Sprache Benennungen finden, nicht aber Individuen, eine Erscheinung, die er aus praktischen Gründen her-

leitete, da ohne dies die Sprache unendlich und
ganz unbrauchbar sein würde. So fing denn die
Untersuchung sich wieder auf die Sprache zu be-
schränken an, von der sie in der That auch allein
ausgegangen war. Plato hatte ausdrücklich gesagt,
daß jede Vielheit eine Idee, ein Urbild habe, die
mit einem gemeinsamen *onoma*, Einem Namen
oder Nomen bezeichnet werde. Er führt dies auch
ganz consequent durch, denn selbst die Geräthe
des Menschen haben solche Urbilder: es gibt nach
Plato auch von sämmtlichen Stühlen und Tischen
ein Urbild, einen einzigen Stuhl und Tisch, den
die Gottheit selbst geschaffen hat, und in dessen
Nachbildung menschliche Künstler die irdischen
Stühle und Tische verfertigen.“

Wenn man diese vielberühmte „Ideenlehre“
Plato's zunächst seltsam und phantastisch finden
und den an sie geknüpften Kampf des Realismus
und Nominalismus für eine Ausgeburt scholasti-
scher Spitzfindigkeit zu halten geneigt sein sollte,
so muß man bedenken, daß das Problem des
Allgemeinen auch noch der neuesten Philosophie
sich immer wieder darbietet, wie es denn auch

uns in aller Schärfe entgegengetreten ist, und nur
mit der Entscheidung über das Wesen und den
Ursprung der Vernunst selbst seine Aufklärung
finden und ein für allemal zur Ruhe gelangen
kann. Kant sagt in der „Kritik der reinen Ver=
nunst" über diesen Gegenstand: „Der Begriff vom
Hunde bedeutet eine Regel, nach welcher meine Ein=
bildungskraft die Gestalt eines vierfüßigen Thieres
allgemein verzeichnen kann, ohne auf irgend eine
einzige besondere Gestalt, die mir die Erfahrung
darbietet, oder auch ein jedes mögliche Bild, was
ich in concreto darstellen kann, eingeschränkt zu
sein. Dieser Schematismus unseres Verstandes,
in Ansehung der Erscheinungen und ihrer bloßen
Form, ist eine verborgene Kunst in den Tiefen
der menschlichen Seele, deren wahre Handgriffe
wir der Natur schwerlich jemals abrathen, und
sie unverdeckt vor Augen legen werden." "

Bei der so viele Jahrhunderte beschäftigenden
Untersuchung über die Realität des Allgemeinen
hat man nicht genug beachtet, daß dasselbe eigent=
lich nicht das Einzelne, sondern das Beson=
dere zum Gegensatze hat. Nur das Einzelne ist

wirklich: jedes Einzelne aber vereinigt Besonderes
und Allgemeines in sich. Das Allgemeine ist
nichts, als das mehreren Einzelnen Gemeinsame;
das Besondere ist das, was die Einzelnen unter=
scheidet. Woraus erklärt sich nun das Allgemeine
in der Natur? Aus gemeinsamem Ursprung, d. h.
aus einer entweder gleichen, oder sogar einzigen
und identischen Ursache. Und woraus erklärt sich
das Besondere? Aus Differenziirung, d. h. aus
dem Hinzutritt neuer, jedesmal verschiedener Ur=
sachen zu der ersten gemeinsamen.

Nachdem wir so die objective Frage, die Frage
nach dem Allgemeinen in der Natur, abgetrennt,
bleibt die nach dem Vorhandensein der allgemei=
nen Vorstellungen in der Vernunft, oder die Fähig=
keit, das in der Natur vorhandene Allgemeine
aufzufassen, zurück. Wir haben in dieser Hinsicht
einen ganz andern Standpunkt, als Plato, oder
selbst Locke; denn wir müssen die Begriffe der
Thätigkeiten und Zustände mit in die Frage auf=
nehmen, ja an die Spitze stellen. Die Sprache
enthält in ihren primitivsten Bildungen gerade
das Allgemeinste; Allgemeinbegriffe von verschie=

dener Abstufung finden sich im Laufe ihrer Entwickelung ein: das eigentlich Individuelle nur
spät und selten. Die Annahme einer Abstraction, eines Vermögens der Wahrnehmung gemeinsamer Eigenschaften genügt zur Erklärung
dieser Thatsache um so weniger, als es wider-
sinnig wäre, die höchsten Abstractionen an den Anfang der Sprachschöpfung zu stellen, mit keinem
andern Erfolge, als daß, wie wir gesehen haben,
jedes Verständniß aufgehoben wird. Auch würde
es nicht hinreichend sein, etwa ein Anschaulich-
allgemeines dem Abstracten entgegenzustellen; denn
diese frühesten Subsumtionen der Sprache gehen
weit über alles, was man anschaulich nennen
könnte, hinaus. Man ist darauf verfallen, bei
der Schöpfung der Sprache Geisteskräfte thätig
anzunehmen, welche mit der Phantasie und besonders dem Witze verwandt, wo nicht identisch sein
sollten, als welcher letztere nämlich nach Locke die
verbindende Thätigkeit unseres Verstandes ist, im
Gegensatze zum Scharfsinn oder der unterscheiden-
den." So mögen denn also die Ahnen des menschlichen Geschlechtes witzig gewesen sein, und etwa

darum die Ehe ein Joch genannt haben?" Das
Ungeheure des Problems würde noch nicht ein=
mal begriffen erscheinen müssen, wenn an eine
solche Lösung im Ernste gedacht werden könnte.

Zudem gibt es Begriffe, und zwar uralte
und in jeder Menschensprache vorhandene, zu
deren Erklärung alle solche Hülfsmittel in gar
keiner denkbaren Beziehung stehen. Wodurch ent=
steht z. B. ein Begriff wie r o t h? Zu sehen, daß
Blut roth ist, und Milch weiß, mag leicht sein.
Aber die Röthe des Blutes von dem Gesammt=
eindrucke zu abstrahiren, an einer rothen Beere
wieder denselben Begriff aufzufinden, die rothe
Beere bei aller ihrer sonstigen Verschiedenheit mit
dem rothen Blute, die weiße Milch mit dem
weißen Schnee in dieser einen Beziehung zusam=
menzufassen, — das ist etwas ganz Anderes, das
thut kein Thier: denn bies eben ist denken.
Und doch, würde, wenn wir irgend eine der uns
bekannten Geistesfähigkeiten zur Abstrahirung eines
solchen Eigenschaftsbegriffes aufbieten wollten, eine
andere dazu geeignet sein, als Scharfsinn? der be=
wundernswertheste, unbegreiflichste Scharfsinn?

Es ist immer etwas höchst Bedenkliches, das
Bestehende ohne Kenntniß seiner Vergangenheit
erklären zu wollen. Die Bildung der allgemeinen
Begriffe in der Sprache läßt sich nicht unter ein
gemeingültiges Schema bringen; sie muß in jedem
einzelnen Falle historisch verfolgt werden, wo es
sich denn zeigt, daß sie auf äußerst verschiedenen
Wegen zu Stande gekommen ist. Es würde ebenso
falsch sein, einen regelmäßigen Gang von der höheren Ordnung auf die niedrigere, als umgekehrt
anzunehmen. Dagegen scheint es für das Denken
unbedingt zu genügen, daß in der Sprache auf
irgend eine Weise Gattungsbegriffe entstanden seien;
es braucht alsdann die Herstellung derselben für die
Vernunft nicht noch einmal, etwa durch Abstraction, vorgenommen zu werden. Wenn das Wort
Thier zu dem Umfange gelangt ist, den es jetzt
hat, so ist der gemeinsame Name Mittel genug
zur Zusammenfassung aller zur Classe gehörigen
Wesen. Zur Idee ist es auch uns genug, daß
ein *onoma*, ein gemeinsamer Name vorhanden sei.

Es gibt eine Reihe von Gattungsnamen, bei
denen ein sehr einfaches Princip genügt, um ihre

Entstehung, ohne jede Hülfe einer verständigen Fähigkeit, so zu erklären, wie sie sind: es ist die Verwechselung. Kann man glauben, daß z. B. bei Benennung der Fliege eine Abstraction nothwendig gewesen sei, um nicht die individuelle, sondern die allgemeine Fliege zum Gegenstand zu wählen? Man muß sich nur auch hier vergegenwärtigen, daß das Einzelne ebensowohl das Allgemeine als das Besondere in sich enthält, und es wird sich von selbst ergeben, daß gerade weil immer etwas Einzelnes das erste Object der Namengebung gewesen sein muß, ebendarum das Besondere bei derselben gar nicht in Betracht kommen konnte. Die Benennung des Rindes konnte unmöglich aus einer langen Vergleichung verschiedenartiger Wesen mit dem Ergebniß der erkannten Aehnlichkeit hervorgehen; sie mußte ebensogut erfolgen können, wenn es nur ein einziges Rind gab; wie denn Sonne und Mond nicht bis zur Entdeckung mehrerer Sonnen und Monde warten mußten, um benannt zu werden. Nur wenn das Wort das Resultat langjähriger, wohlerwogener Prüfung und Wahl des zweckmäßigsten Verständigungsmittels wäre, könnte die Vergleichung einer großen Menge von Einzelwesen der Entstehung des Gattungsnamens zum Grunde liegen, nicht aber, wenn es auf die Wahrnehmung als ihr unmittelbarer und auch nur einigermaßen instinctiver Ausdruck folgt.

Man wird bei aufmerksamerer Betrachtung finden, daß die Verwechselung weiter greift, als man zunächst glauben sollte, daß namentlich auf unentwickelten Verstandesstufen überraschende Verwechselungen möglich sind. Das Kind in dem Zeitpunkte, wo es eben sprechen lernt, wo also der innere, ihm anentwickelte Sprachtrieb mit der Einwirkung seiner Umgebung zusammentrifft, die diesem Triebe die Richtung auf die vorhandene Sprache zu geben bestimmt ist, nennt zunächst, sobald es seinen Vater Papa rufen gelernt, auch andere Männer so; wenn es sodann etwa in einem jüngeren Manne seinen Onkel kennen gelernt hat, so heißt ihm jeder jüngere Mann Onkel; später wohl auch Jedermann außer dem Vater, den es nun von Allen zu unterscheiden gelernt hat; kennt es außerdem etwa einen Knaben, der Otto heißt, so ist ihm sofort jeder Knabe ein Otto. Warum das?

Macht das Kind etwa, um jeden Mann, jeden Knaben bezeichnen zu können, alle Einzelbenennungen, die ihm zu Gebote stehen, zu Gattungsnamen? Gewiß nicht. Es verwechselt die andern Knaben wirklich mit seinem Otto; es ruft sie, und ist, wenn es die Verschiedenheit der Person überhaupt bemerkt, überrascht und enttäuscht. Wenn es diese Erfahrung öfters macht, dann erst wird Otto ihm eine Art Gattungsbegriff, den es nun überall verwendet, wo in früherer Zeit die Verwechselung bei ihm hätte eintreten können, jetzt aber, und zwar eben durch den Besitz des Namens, eine Zusammenfassung zu ähnlicher Erinnerung, eine Vergleichung möglich geworden ist. Auch später entwickelt sich die Kindervernunft noch zuweilen auf dieselbe Weise. Wenn ein Kind zum erstenmale Schnee sieht, und denselben nun Federn nennt, oder Zucker: ist es dann etwa witzig? „appercipirt" es? Es verwechselt nur, und würde den Zucker wohl zu essen versuchen. Ja es kommt auch wohl vor, daß ein ihm geläufiges Kinderwort im Sinne einer höheren Verallgemeinerung verwendet wird, daß ihm z. B. ein Schmetterling ein Vögelchen,

Blutegel Fiſchchen heißen; was ſinnreich genannt werden könnte, wenn es nicht umgekehrt Unfähig= keit wäre, die Unterſchiede zu erkennen.

Dürfen wir auf die letztere Weiſe das All= gemeine in der Sprache überhaupt erklären? Sind die Menſchen durch eine ähnliche unwillkürliche Erhebung einzelner, gleichſam als Eigennamen gegebener Benennungen zu Gattungsnamen in den Beſitz der allgemeinen Begriffe gelangt? Eine ſolche Annahme wäre bei der ungeheuren Aus= dehnung des Allgemeinen gegen die Anfänge der Sprache hin faſt der einer Verwechſelung von Allem mit Allem, einem gänzlichen Mangel an Unterſcheidungsfähigkeit gleich, von dem nicht wohl abzuſehen wäre, wie der Menſch jemals aus dem= ſelben hätte heraustreten können, da für die Sprach= bereicherung von außen, wie ſie dem Kinde geboten wird, in der Menſchheit keine Analogie beſtand.

In einzelnen Fällen iſt die Entſtehung von Gattungsbegriffen aus Mangel an Unterſcheidung gleichwohl kaum zu bezweifeln. Der Begriff Baum iſt nicht nach dem Bewußtſein der Artunterſchiede gefaßt, ſondern dieſe Unterſchiede blieben unbemerkt.

Ja es ist sogar für den Begriff Fisch das Gleiche
mit Wahrscheinlichkeit vorauszusetzen. Die Indogermanen haben keinen gemeinsamen Artnamen für
einen speciellen Fisch; die Semiten ebensowenig:
die beiden Urvölker der Indogermanen und Semiten haben also die Fische noch nicht speciell,
sondern nur im Allgemeinen „Fisch" genannt. Im
Homer kommen solche specielle Namen ebenfalls
nicht vor; von den Hebräern läßt es sich fast mit
Bestimmtheit nachweisen, daß sie lange Zeit die
Fische nicht speciell benennen konnten." Dies ist
Analogie genug, um anzunehmen, daß überhaupt
das allgemeine Wort Fisch älter als die Sonder-
namen ist, wovon der Grund nicht leicht ein anderer sein kann, als weil die Besonderheiten nicht
hinlänglich ins Auge fielen. Aber schon bei dem
Begriffe Thier kann eine solche Erklärung nicht
wohl mehr genügen, welche zuletzt auf eine Verwechselung der Mücke mit dem Elephanten hinaus
zu kommen scheint; und außerdem bedarf nun,
wenn der Geist naturgemäß verwechselte, umgekehrt die Entstehung der Sonderbegriffe einer Begründung.

Verfahren wir geschichtlich, so finden wir, daß das Wort Thier von einer engeren Bedeu= tung zu der umfassenden erst fortzuschreiten pflegt. Das griechische Wort *thêr* bedeutet so vorwiegend nur wildes Thier, daß *thêreia krea* zur Bezeichnung des Wildpretes im Gegensatze zu dem Fleisch zahmer Thiere gebraucht wurde. Das deutsche Thier, dessen Zusammenhang mit dem griechischen Wort, trotz der großen Laut= ähnlichkeit, noch nicht ausgemacht ist, zeigt auf älteren Stufen ebenfalls diese Begriffseinschrän= kung. [68] Bestia hat besonders in dem bestimm= teren juristischen Sprachgebrauch ausschließlich die Bedeutung „wildes Thier." [69] Das Hebräische hat kein eigentliches Gesammtwort, sondern theilt den Begriff in wilde und zahme Thiere, wobei je= doch das Wort für „zahmes Thier" (behemah) ursprünglich ebenfalls Wild bedeutet zu haben scheint. [70] Im Sanskrit hingegen wird für den all= gemeinen Begriff das unserem Vieh entsprechende Wort paçu verwendet, so daß man in dieser Sprache von „wildem Vieh" lesen kann [71]; und es findet sich sogar schon in einer der frühesten

Literaturperioden ein dem umfassenden Sinne von animalia insofern ähnlicher Gebrauch des Wortes, als es die Thiere mit Einschluß des Menschen bezeichnet[72], wie man dies gewiß nur einer weit fortgeschrittenen Abstraction hätte zutrauen sollen. In dem letzteren Falle ist also der Gesammtbegriff vom Besitze ausgegangen. Denn daß dies der Grundbegriff unseres Wortes Vieh ist, entspricht nicht nur dem historischen Gange dieses Wortes selbst, sondern auch *kténos* ist von der Bedeutung „Besitz" bis zu „zahmes Thier" fortgeschritten; im Hebräischen hat miqneh, Vieh, dieselbe Grundbedeutung; Schatz, das im Gothischen (skatts) Münze, Geld bedeutet, hat im Altfriesischen (sket) die Bedeutung Vieh entwickelt; in den slavischen Sprachen ist skot ebenfalls Vieh, im Russischen steht jedoch die veraltete Bedeutung Geld und Schatz noch daneben, und im Litthauischen bedeutet skatikkas Groschen: das Wort scheint aus dem deutschen Sprachgebiete in das slavische gedrungen zu sein. Selbst noch im Englischen hat sich in ähnlichem Gange cattle, Vieh, aus Capital entwickelt. Von den ursprünglich das Wild bezeichnenden

Wörtern ist *thér* wahrscheinlich als Jagdbeute
aufzufassen, so daß *théra*, Fang, Jagdbeute und
Wild, nicht einfach von *thér* abzuleiten, sondern
nur auf einen gemeinsamen Grundbegriff damit zurückzuführen wäre. Auch das Sanskritwort *mriga*,
wildes Thier, läßt eine ähnliche Ableitung zu, und
gibt zugleich durch merkwürdige Vereinzelungen seines
Begriffs zu weiteren Betrachtungen Anlaß. Es bedeutet nämlich ganz besonders ein Wild aus dem
Hirschgeschlecht, eine Gazelle. Muß es nun nicht
höchlich auffallen, daß auch Thier außer der allgemeinen noch eine das Hirschgeschlecht treffende
Sonderbedeutung hat? Im Englischen ist deer das
Rothwild; bei unsern Jägern heißt so nur das
weibliche; in der Edda heißt der junge Hirsch dyr-
kalfr, „Thierkalb." [13] Man kann wohl annehmen,
daß das Rothwild, als die willkommenste Jagdbeute, das gewöhnliche Wildpret, den allgemeinen
Namen vorzugsweise, und vielleicht zuerst erhielt.
Aber das erwähnte *mriga* hat noch eine andere
interessante Seitenbahn eingeschlagen. Es bedeutet
im Zend nur Vogel, wie noch heute das persische
murg, und Roth hat dieselbe Bedeutung für einige

Bebaſtellen nachgewieſen.⁷⁴ Man ſieht alſo, baß ber
Geſammtname für bie große Claſſe ber Bögel nicht
nothwenbig auß bem ſo naheliegenben „fliegen"
hergenommen ſein muß, ſonbern baß ſich berſelbe
auch burch Erweiterung auß einem urſprünglich
bie Beute beß Jägers bebeutenben Worte ent=
wideln konnte.

Die Möglichkeit, ein Wort in weiterem unb
engerem Sinne zu gebrauchen, rührt zum Theil,
wie bie eben geſchilberten Borgänge beweiſen, von
ber Entſtehung beß Namens auß einer Eigenthümlichkeit her, bie balb vorzugsweiſe an einem
kleineren, balb auch wieber an einem größeren
Kreiſe von Gegenſtänben auffallen ober wichtig
erſcheinen konnte. Aber zu einem anbern Theile
reicht bieſe Erklärung offenbar nicht zu, inbem ber
erweiterte Gebrauch mit ber Entſtehung beß Wortes
gar nicht harmonirt. Wie können z. B. bie Perſer
jeben Bogel, ja ſogar baß zahme Geflügel unb
baß Huhn insbeſonbere, murg nennen, währenb
ber Grunbbegriff nur Wilb, Jagbbeute iſt? Offenbar wurbe, nachbem ber Gebrauch baß Wort zu=
erſt auf baß gefieberte Wilb beſchränkt hatte, ber

Gedanke an das Wild ganz außer Acht gelassen,
und außer dem Fluge höchstens noch an die Brauch=
barkeit des Vogels zur Speise gedacht. Aehnliches
ist von dem „wilden Vieh" der Inder zu sagen,
und ähnlich verhalten wir uns selbst, wenn wir,
mit gänzlicher Ignorirung des Wortursprungs,
in naturgeschichtlichem Sinne vom Thierreich
sprechen. Ein häufiges Wort für Vogel im All=
gemeinen ist çakuna; es gehört zu einer merk=
würdigen Reihe von Vogelartbenennungen, die von
der Farbe hergenommen sind, und mit kapi, Affe,
zusammenhängen [73]: in der allgemeinen Anwen=
dung wird auf die Farbe keine Rücksicht genommen;
so wenig wir uns scheuen von einem weißen Biber
zu sprechen, obschon der Name Biber eigent=
lich ebenfalls „rothbraun" bedeutet. Man kann
dies einen Mißbrauch der Worte nennen, beson=
ders da Etymologie ja wörtlich die „Richtigkeits=
lehre," und von den Griechen eigens dazu ge=
schaffen worden ist, um die Worte nach ihrer
ursprünglichen Grundbedeutung gebrauchen zu lehren.
Aber wir müssen nur den Umfang dieser Erschei=
nung ins Auge fassen, um die ungeheuren Fol=

gerungen zu erkennen, die sich aus einem solchen Mißbrauche für die Menschheit ergeben.

Der allgemeine Ausdruck des hier besproche= nen Gesetzes ist folgender. Die Bedeutungen der Wörter entwickeln sich in einer Reihe, deren letztes Glied sich mit dem ersten in keinem klaren Zusammenhange mehr befindet. Die vordern Glieder der Reihe sind vergessen, und erst hierdurch wird das letzte möglich. Ein Wort, das gut bedeutet hat, kann nicht schlecht, eines das schwarz bedeutet hat, nicht weiß bedeuten, wenn die früheren Bedeutungen nicht vergessen sind. Und ganz ebenso, wie ein Wort nur durch die geschicht= liche Aufeinanderfolge verschiedener Gebrauchsweisen zu entgegengesetzten Bedeutungen übergehen kann, so ist auch eine gleiche Succession erforderlich, wo allgemeine Begriffe nach Merkmalen benannt werden sollen, die selbst nicht allgemein, sondern einem vielleicht nur kleinen Theile der zusammen= gefaßten Gegenstände eigen sind; oder gar wo eine Sonderbezeichnung ganz aus ihrer ursprünglichen Sphäre fortgerückt erscheint, wie es bei dem per=

fischen Worte für Huhn der Fall war. Wenn
nun schon das letzte Glied der Reihe das gleich=
zeitige lebendige Vorhandensein wenigstens einer
größeren Anzahl vorausgegangener ausschließt, so
ist es um so weniger denkbar, daß mit dem ersten
Gliede das, was zuletzt aus ihm werden würde,
schon von selbst gegeben sei. Die Vieldeutigkeit
eines Wortes ist nicht nothwendig als gleichzeitige
Masse aufzufassen, sie ist zu großem Theile Suc=
cession.

Wendet man diesen Satz auf die Wurzeln
an, und fragt, ob das in ihnen vorgefundene
Allgemeine als Gesammtmasse oder als Suc=
cession zu betrachten sei, d. h. ob die Wurzeln
von jeher auf alle Fälle angewendet werden konn=
ten, für die in ihren Ableitungen Ausdrücke vor=
handen sind, oder ob ihre Anwendung von ein=
zelnen Fällen ausgegangen und sich allmählich
über ihr ganzes späteres Gebiet verbreitet haben,
so muß man sich augenscheinlich für das Letztere
entscheiden. Es ist z. B. oben eine an das deut=
sche Karl sich anschließende Reihe von Wörtern
mit den Bedeutungen „Mann, Gatte, Greis," an=

geführt worden, die von dem Begriffe des Alters
ausgehen; diese können schon in der Wurzel,
neben der Bedeutung alt sein, in dem Sinne
„Alter" bestanden haben. Aber wie, wenn „alt
sein" nicht die alleinige Bedeutung der Wurzel
ist? wenn sie auch den Begriff „reiben, zerrie=
ben, mürbe sein" mit dem des Alters vereinigt?
wenn aus der Bedeutung „reiben" auch Korn
und Kern hervorgeht? Kern und Korn, lateinisch
granum, bedeuten das Ausgeschälte, durch Ab=
streifen der Hülse zum Vorschein Gekommene; das
alte Zeitwort kirnen heißt nicht nur dreschen,
sondern auch so viel als quirlen, Butter durch
Umrühren bereiten, englisch churn; und das mittel=
hochdeutsche kurn, kürne (althochdeutsch quirn und
gothisch kvairnus) ist Mühlstein, Mühle, also ein
Werkzeug zu einem dem Quirlen ähnlichen Zer=
reiben. [16] Wir gelangen von diesen Bedeutungen nicht
unmittelbar zu Karl oder zu dem Begriff des ehr=
würdigen Greisenthums, des menschlichen Alters.
Der Zwischenbegriff ist der eines alt und mürbe
gewordenen zerriebenen Gegenstands, z. B. Ge=
wandes. Die Sanskritwurzel gar (grī) zeigt noch

diesen letzteren Gebrauch neben dem der Alters=
schwäche, des hohen Alters. Hier ist keine andere
Vorstellung mehr möglich, als daß reiben die
frühere, alt nebst allen daran geknüpften Be=
griffen die jüngere Bedeutung ist. Ebenso, wenn
es sich nachweisen läßt, daß die die Verbindung
bezeichnenden Wurzeln nicht ursprünglich jedes Ver=
binden, sondern etwa nur ein wirkliches, sinn=
liches bedeutet hätten: dann könnte ein Wort wie
Schwester oder Tochter nicht von jeher durch
sie bezeichnet worden sein.

Wenn wir dies mit dem oben geschilderten
Urzustande der Sprache zusammenhalten, so ergibt
sich, daß nicht etwa blos die Möglichkeit specieller
Unterscheidung, sondern geradezu der Umfang
dessen, was überhaupt bezeichnet werden konnte
oder sollte, fast bis auf nichts verschwindet.

Es kommt unendlich viel darauf an, den Vor=
gang der Bedeutungsentwickelung genau und richtig
aufzufassen, und dann nur kann erkannt werden,
daß sie nichts Anderes als die Begriffsentwicke=
lung selbst ist. Je bestimmter aber in jedem ein=
zelnen Falle die Entwickelung einer Bedeutung beob=

achtet wird, um so lebhafter leuchtet jedesmal
ein, daß sie nur auf Verwechselung beruht.
Wenn wir ganz späte, bewußte Vorgänge aus=
nehmen, so wird ein Wort niemals in seiner Be=
deutung verändert, ja es verändert sie eigentlich
nicht einmal selbst. Es ist das Object des Wortes,
das sich dem Sprechenden ganz unversehens unter
der Hand verändert. Der Pythagoreer Milo
soll bekanntlich, indem er ein Kalb täglich immer
wieder trug, es zuletzt auch als es herangewachsen
war, zu tragen im Stande gewesen sein. Mit
den Begriffen geht etwas Derartiges wirklich vor.
Ein Wort wird bei Gelegenheiten, die scheinbar
ganz gleich sind, angewendet; summirt man aber
die im Einzelnen unbemerkten Unterschiede, so ist
etwas ganz Anderes daraus geworden. Aus der
Verwechselung des Aehnlichen, und aus einer be=
ständigen Wiederholung dieser Verwechselung, setzt
sich die Verbreitung des Wortes über die ganze
Gedankenwelt zusammen. Es wird in der That
Alles mit Allem verwechselt, aber nur durch einen u n=
endlichen Discursus, einen Hindurchgang des
Begriffes durch die ganze Reihe der denkbaren Objecte.

In der geistigen Natur gibt es so wenig
wie in der körperlichen einen Sprung, die geistige
Entwickelung setzt sich aus eben so kleinen Elementen, wie die körperliche zusammen. Darum
läßt sich auch die Beobachtung dieser Entwickelung
eigentlich nicht erschöpfen; wir müßten alle Fälle
kennen, alle Gelegenheiten zusammenstellen, wo
ein Wort jemals gesprochen worden ist, wenn
nicht in seiner Geschichte Lücken bleiben sollen.
Wenn man alle Stellen einer Literatur aneinander-
reiht, in denen ein Wort sich gebraucht findet,
so ist eine jede lehrreich und keine entbehrlich.
Wie ganz anders erscheint ein Wort der augen-
blicklichen Betrachtung, oder bei Aufzählung seiner Hauptbedeutungen im Wörterbuche, und wie
ganz anders dagegen, wenn wir es mit lebendiger
Kenntniß der Sprache durch eine ganze Literatur
verfolgen! Daher die Unzulänglichkeit einer im
Allgemeinen bleibenden, wohl gar des Hinter-
grundes der Literatur und des Sprachgefühles
entbehrenden Etymologie; daher auch der unbe-
rechenbare Werth der mit unendlichem Fleiße auf-
gehäuften lexikalischen Schätze, wie sie in unserer

Muttersprache Grimm und seine Nachfolger, und
für die älteren Stufen Graff, Benede, W.
Müller, Zarnde u. A. zusammengetragen; wie sie
in dem berühmten Thesaurus des Stephanus für das
Griechische vorliegen, und seit einem halben Jahrhundert nun auch für die Sanskritsprache durch
das Zusammenwirken bedeutender Kräfte allmählich
in reicher Fülle zu Stande gebracht werden. Aber
selbst mit diesem gewaltigen Stoffe darf sich die
Wortforschung nicht zufrieden geben: sie muß auf
die Specialwörterbücher zurückgehen, wo sie deren
findet, in denen alle Stellen eines Schriftstellers
zusammengetragen sind, und hat es als einen
glücklichen Umstand zu preisen, wenn, wie für
die hebräische Sprache in der sogenannten Con-
cordanz, oder zum Zendavesta durch den einsichts-
vollen Fleiß eines Mannes wie Hermann Brock-
haus, vollständige Indices verfügbar sind, in
denen jedes Vorkommen sämmtlicher Wörter einer
Literatur verzeichnet ist. Die Etymologie darf sich
keine geringere Aufgabe stellen, als den ganzen
gewaltigen Discursus, die unendliche und unendlich feine Ideenassociation der Sprache, durch

eine ebenso umfassende und in das Feine brin=
gende Forschung zu wiederholen.

Wenn, nach Potts bereits angeführtem Aus=
drucke, „in der Vielheit der Wortbedeutungen
eine sie zusammenbindende einheitliche Macht von
sich nun seit ihrem Ursprunge ewig gleich blei=
bender Unveränderlichkeit" herrschte, so würden
wir es auch mit ihm als die Aufgabe der lexi=
lalischen Sprachforschung betrachten können, „in
der Vielheit immer jenen einen springenden
Punkt zu finden, aus dem nur jene, von diesem
entsprossen und getragen, verstanden werden kann,
oder, um ein anderes Bild zu wählen, gleich=
sam die Achse, um welche sich peripherisch die
Fülle der ihr zugehörigen Bedeutungen dreht." [*]
Aber eine solche bleibende Einheit, eine solche
Achse ist nicht vorhanden. Der Schlüssel zu der
Bedeutung eines Wortes liegt nur in einer ver=
gangenen; Mehrdeutigkeit setzt keine innere Ver=
bindung der zufällig vereinigt gebliebenen Bedeu=
tungen voraus: sie kann das Resultat einer ganz
jungen Abzweigung, aber auch die Folge einer
schon in der Urzeit begonnenen Entfaltung sein.

Die Maffe der in fämmtlichen Wörtern wirklich enthaltenen Bedeutungen läuft allerdings zuletzt in einen einzigen Mittelpunkt zusammen, aber er liegt nirgends als in dem erften Urfprung der Sprache felbft.

Weit entfernt das Unmögliche zu verfuchen, und hier in rohen Zügen fchildern zu wollen, was nur die fpeciellfte Anfchauung zur Empfin= dung bringen kann, befchränke ich mich darauf zu bemerken, daß in dem ganzen Laufe der Be= griffsentwickelung jeder Zweck einer Erweiterung der Begriffsfphäre nothwendig ausgefchloffen bleibt. Niemals kann die Abficht obgewaltet haben, durch ein Wort mehr zu bezeichnen, als es vorher bezeichnet hatte, um fo ein Bezeichnungsmittel für etwas zu gewinnen, das vorher nicht benannt worden war: denn die Erweiterung der Bedeu= tungsfphäre geht ganz unmerklich und unbewußt vor fich.

Weßhalb bezeichnen nun aber die Worte an= fangs fo wenig, und überhaupt rückwärts gefehen immer weniger? Ich weiß hierauf keine andere Antwort zu geben, als: weil anfangs nur fo wenig bemerkt worden ist. Die Richtigkeit dieser Erklärung wird sich daran erproben, ob wirklich Dasjenige, was zuerst bezeichnet wird, auch das ist, was zuerst bemerkt zu werden geeignet war, oder ob die Bezeichnungsfolge ein anderes Princip erkennen läßt.

Nun fängt, um ein einzelnes Gesetz hervor- zuheben, die Bezeichnung zuweilen mit Extremen an, als von dem Augenfälligsten, und nimmt leisere Grade in sich auf; oder sie fängt mit Verwechselung an, und geht zur Unterscheidung über. So ist z. B. in vielen Wörtern für blau die erste Begriffsstufe schwarz; die zweite zeigt eine Verwechselung von schwarz, blau, braun und grau; die dritte geht auf eine der leiseren Nuancirungen blau, grau oder braun über.

Was bedeutet Nacht? Es hängt mit niger, schwarz, zusammen; aber nicht etwa so, daß die Nacht als etwas Schwarzes „appercipirt", oder mit kühner Phantasie — wie in den vedischen Liedern — „die Schwarze" benannt worden wäre. Die ältesten Sanskritformen des Wortes zeigen, daß in dem lateinischen unguo, Sanskrit ang,

beſtreichen, ſalben, färben, die Wurzel von Nacht
zu ſuchen iſt.[78] Demnach ſchiene nun Nacht „die
Gefärbte“ bedeuten zu ſollen. Vergleichen wir
eine naheſtehende andere Sanskritwurzel mit dem
gleichen Begriffe des Färbens, nämlich rang
(griechiſch rezō), ſo finden wir auch von ihr
einen Namen der Nacht gebildet, nämlich ragani,
was zugleich Name mehrerer färbenden Subſtan-
zen, z. B. der Indigopflanze, iſt; aber außerdem
heißt raga oder ragas, Staub und Nebel oder
Wolkenhimmel, und in dieſem haben wir unſer
eigenes Wort Rauch,[79] und das gothiſche rikvis,
Finſterniß, vor uns. An das Wort Nacht ſchließt
ſich eine große Schar von Wörtern, welche Nebel,
Wolke, Finſterniß, Qualm bedeuten, nahe an.[80]
Nebel ſelbſt iſt z. B. im Altnordiſchen bis zu
Nacht und Dunkel vorgeſchritten: niflheim iſt das
Reich der Nacht, die Nibelungen das Nacht-
geſchlecht; und wir brauchen nur andere den Begriff
dunkel bezeichnende Wörter ebenfalls rückwärts
zu verfolgen, um überall auf eine derbere Quelle
dieſes für uns die bloße Abweſenheit des Lichtes
vor die Phantaſie bringenden Begriffes zu ſtoßen.

Düster gehört zu Dunst und Duft, d. i. Staub,
Mehlstaub, Späne oder dgl. Das englische mist
ist ein edles Wort für Dämmer, Wolke, Nebel
und Aehnliches; im Sanskrit ist megha Wolke,
im Griechischen *omichlé* ein dichter Nebel, im
deutschen und vielen verwandten Wörtern geht
der Begriff bis zu Roth. Es hat einen Zeitpunkt
in der Begriffsentwickelung gegeben, wo solche
Worte wie Dämmer oder Dunkel nur von dichten
Nebeln gesagt wurden, und zum Begriff der Wolke
selbst kam der Mensch erst von hier aus; aber
auch für die Erscheinung des Nebels interessirte er
sich nicht zu allen Zeiten: Dunst und Qualm sind
ältere Begriffe, und diesen wieder geht die Vorstellung des Derbsten, Greifbarsten voraus. Das
Aufgestrichene, Aufgeschmierte ist der Anfang, von
dem alle solche Anschauungen ausgehen; aber erst
nach einem sehr langen Wege wird das Immaterielle, die Dunkelheit, die Nacht erreicht. Die
Nacht ist also nicht selbst etwas Gefärbtes, etwas
Schwarzes, sondern eine der letzten Verfeine-
rungen des Begriffes der Farbe oder vielmehr
des Schmutzes, eben so wie auch Meer aus den

Begriffen Landsee, Morast, Pfütze, weiche lothige
Erde, sehr langsam entwickelt ist.⁸¹

Grund, welches wir heute überwiegend in
immateriellem, ja philosophischem Sinne gebrauchen,
für die Ursache, die unsern Willen oder unser
Urtheil bestimmt, gelangt hierzu von der Bedeutung Boden, worauf etwas ruht, ist aber in
seinem letzten Ursprung von den oben betrachteten Begriffen sehr wenig entfernt. Die noch immer gebräuchliche Anwendung für die Erde eines
Ackerlandes, als Stoff betrachtet, ist die älteste:
Grund ist zerriebene Erde; das englische to grind
ist noch jetzt „zerreiben." Es ist dies ein ziemlich allgemeiner Ursprung des Begriffes Erde;
wahrscheinlich z. B. auch in terra.

Eine große Menge von Begriffen sind genetisch benannt, nach der Entstehung der betreffen-
den Sache oder Eigenschaft. So besonders viele
Dinge, die menschlicher Thätigkeit ihre Entstehung
verdanken; z. B. Figur bedeutet etwas aus Thon
oder dgl. Geknetetes, Zeichen ist etwas Einge-
ritztes, Geräthe etwas Bereitetes, Schiff etwas
Gehöhltes. Wie Naturgegenstände auf ähnliche

Weise zur Bezeichnung kommen, zeigen schon manche
der oben erwähnten Beispiele. Namentlich ist aber
von Eigenschaftsbegriffen ein sehr großer Theil
auf diesem Wege zu Stande gekommen. So geht
z. B. dumm von der Bedeutung verstümmeln
aus; es ist dasselbe Wort mit stumm (engl. dumb),
und nahe verwandt mit taub; das gleichfalls ver=
wandte griechische *typhlos* heißt blind; im Eng=
lischen ist (wie Grimm anführt) dumb arm ein
lahmer Arm. — Treu und das englische true,
wahr, sind eigentlich soviel als fest, und dann:
zuverlässig; trauen bedeutet: fest sein, sich ver=
lassen, Glauben schenken, aber auch: ehelich ver=
binden; traut ist verbunden; das gothische trausti
heißt Bündniß, unser Trost eigentlich: feste Zu=
versicht, das englische trust: Zutrauen; Trotz und
Trutz bedeuten ebenfalls nichts als Sicherheit,
festes Verlassen auf sich selbst. Die Begriffe treu
und wahr sind also hier aus „gebunden und
dadurch befestigt" hervorgegangen. Gothische For=
men wie tringvs, treu, tringva, Bündniß (das
französische trève, Gottesfrieden) zeigen, daß der
Stamm ein g verloren hat. Die Wurzel ist da=

her unter Anderm mit der Sanskritwurzel drinh, befestigen, und dem gothischen tulgus, fest, ver= wandt. [52] Was unser w a h r betrifft, so heißt das althochdeutsche wâra auch Treue und Bund, das russische vjera Glauben und Eid. Als Pa= rallele drängt sich außer dem schon oben erwähn= ten fides auch die semitische Wurzel von amen Wahrheit, emunah, Treue, Glauben, amanah, Bündniß u. s. w. auf, von der sich dieselben Grund= bedeutungen nachweisen lassen.

Von ganz besonderer Wichtigkeit scheinen mir die überaus zahlreichen Fälle zu sein, wo die Be= zeichnung nicht auf das Entstehen oder Zustande= kommen eines Gegenstandes, einer Eigenschaft oder eines Verhältnisses verweist, und also nicht gene= tisch, sondern etwas ist, was ich p h ä n o m e n a l nennen möchte: indem nämlich diejenige Thätig= keit den Namen abgibt, durch welche das Bezeich= nete zwar nicht entsteht, aber zum Vorschein kommt, bemerkt wird. So z. B. wenn Worte sowohl für K e r n als für S c h a l e von Wurzeln stam= men, die das Schälen, das Trennen der Schale von dem Kern bezeichnen; oder wenn nicht nur

die Rinde, sondern auch das Holz, ja sogar
der Baum vom Entrinden benannt wird; wenn
dem entsprechend die Haut als das Abgestreifte,
und zuweilen dann auch das Fleisch als das
nach Abstreifen der Haut zum Vorschein Kommende,
also ebenfalls als das Abgezogene zur Bezeich=
nung gelangt. Ich erinnere nur an das griechi=
sche *derd*, die Haut oder Rinde verletzen, wovon
sowohl *dora* und *derma*, Rinde und Haut, als
dory, Holz, *drys*, Baum, das englische *tree*, das
in den germanischen Sprachen auch sonst viel ver=
breitet, und bei uns in der Endung der, z. B.
in Hollunder, erhalten ist. Die Verwandtschaft
der Wörter für Rinde und Haut in dieser Wurzel
beruht auf einem tiefen Zuge der Sprache, Aehn=
lichkeiten zwischen der Pflanze und dem Thiere zu
finden. Man pflegt das Wort Haut mit dem
englischen hide, bedecken, zusammenzustellen, aber
es ist dies gewiß unrichtig, und Haut (cutis, gr.
kytos) aus einer griechischen Wurzel von einer
den obigen Analogien entsprechenden Bedeutung
zu erklären, von welcher auch *skytos* stammt. —
Bein ist, wie ich glaube, als etwas Abgenagtes,

mit dem gothischen bnuaan, zerreiben,[13] und mit
bohnen verwandt. Haut, Fleisch und Bein sind,
wie noch manche andere Theile des thierischen und
menschlichen Leibes, und wie meistens der Be=
griff Leib selbst, von der Seite aus benannt, von
der sie sich dem Menschen in dem Augenblicke dar=
stellen, wo ein thierischer, oder wohl gar mensch=
licher Körper ihm zur Nahrung dient.

Fassen wir zusammen, welches allgemeine Ge=
setz sich aus diesen einzelnen Fällen ergibt, und
suchen wir den Grund, warum Extreme früher
als leisere Grade, das Derbe und Greifbare früher
als das Immaterielle, das aus menschlicher Thä=
tigkeit Entsprungene erst nach dieser Thätigkeit,
Eigenschaften geistiger und sittlicher Art, wie
wahr, erst in Folge des Uebergangs aus sinn=
lich wahrnehmbaren, diese selbst aber wieder nach
den Thätigkeiten, die sie zu Stande bringen; end=
lich das in Verbindung mit Anderem Vorhandene
nur in dem Augenblicke, wenn es gesondert in die
Erscheinung tritt, benannt werden: so kann dieser
Grund nur der sein, daß die Worte in der Reihen=
folge entstehen, wie die Gegenstände ihrer Natur

nach, einer nach dem andern, anfangen, von den
Menschen wahrgenommen oder bemerkt zu werden.

Ueberhaupt wird Jeder, der zugibt, daß ein
ausgebildetes Denken ohne alle Sprache unmöglich
ist, sich in Betreff des Ursprungs der Sprache auf
diesen Weg gedrängt sehen. Denn es mußte ja
zugestanden werden, daß die Entstehung allgemei=
ner Begriffe, oder besser, da jeder Begriff mehr
oder weniger allgemein ist, aller Begriffe, auf
keinem andern Weg erklärt werden kann, als
durch die Entstehung der Worte für diese Be=
griffe, während die Ursache der Entstehung dieser
Worte das ist, was ich Discursus genannt habe.
Der Begriff Thier existirt nur, weil aus dem
Begriffe Jagdbeute ein Wort zu dieser allge=
meinen Bedeutung übergegangen ist, und ehe dies,
oder etwas anderes mit gleichem Erfolge, ge=
schehen war, existirte jener allgemeine Begriff gar
nicht, nicht bloß für die Sprache, sondern auch
für die Vernunft nicht. Nun sind aber schon die
Wurzeln allgemein, und ehe eine Wurzel den Be=
griff Jagen entwickelt hatte, existirte auch dieser
nicht. Es läßt sich hier nirgends Halt machen,

und zwar den Einzelheiten gegenüber noch unend=
lich viel weniger, als im Angesichte der allgemei=
nen Theorie.

Wäre die Entwickelung nicht in einem Worte
bei dem Begriffe Thier, in einem andern bei
Vogel, in einem andern bei Taube festge=
halten worden, so hätten wir nicht die Möglich=
keit, die Taube als Taube, Vogel, Thier anzu=
sehen und zu classificiren. Mit den Verbalbe=
griffen der Wurzeln ist es ebenso. Ein ein=
ziger Laut hätte Begriffswechsel erfahren können,
er würde seiner Natur nach vielleicht die ganze
Reihe sämmtlicher Begriffe durchlaufen haben:
aber zur Begriffsunterscheidung hätte er nicht
geführt. Dazu bedurfte es verschiedener Laute,
welche alle denselben Gang durchmachten, aber
auf verschiebenen Punkten ihrer Entwickelung auf=
gehalten, mit verschiedenem Begriffsinhalte fest=
stehen blieben. Dies zu erreichen ist aber schon
ein einziger ursprünglicher Sprachlaut geeignet,
sobald er in Variationen auseinanderzutreten fähig
ist. Man sieht in der Sprache überall, auch in
den Wurzeln, solche auseinandertretenden Varia=

tionen, und überall gesellt sich zu der Abweichung des Lautes die der Bedeutung. Man pflegte solche Wurzelspaltungen bisher so aufzufassen, als ob der Laut zum Zwecke der Bedeutungsunterscheidung variirt worden wäre. Aus der ganzen obigen Darstellung ergibt es sich, daß der Laut aus Gründen variirt, die mit dem Begriffe nichts zu thun haben, und daß an diesen Spaltungen die des Begriffes sich erst entwickeln. So ist denn überall die Sprache primär; der Begriff entsteht durch das Wort. Und zwar war dies von jeher, schon bei dem Auseinandertreten gleichbedeutender Urlaute in diejenigen Begriffskeime der Fall, deren Umbildungen in Wurzelbegriffen wie binden, reiben u. s. w. vorliegen: die Sprache hat die Vernunft erschaffen; vor ihr war der Mensch vernunftlos.

Was nun aber der Anfang dieser Reihe sei, und worin das Bemerken und Nichtbemerken bestehe, das zu der Stufenfolge der Begriffe den Grund abgibt, wie es endlich komme oder nur möglich sei, daß die Fähigkeit der Menschen, die Außenwelt zu bemerken, sich veränderte und fort-

schritt: das kann ich freilich hier nur kurz aussprechen, als eine Ueberzeugung, die aus der
Betrachtung alles sprachlichen Stoffes, welchen zu
übersehen mir bis jetzt gelungen ist, sich mir un-
widersprechlich ergeben hat: die Wahrnehmung,
von deren allmählichem Wachsthum in der Menschheit die Sprache Zeugniß gibt, ist die durch Ge-
sichtsempfindung.

Wie der Begriff von hier aus zu Gegenständen
anderer Sinne gelangt, davon kann das Wort bitter
eine allgemeine Vorstellung geben, das von dem
Beißen, als einer sichtbaren Handlung aus, über
das Gefühl, das auf der Haut damit verbunden ist,
zu dem ähnlichen Jucken der Zunge bei scharfem
Geschmacke, und zuletzt erst auf die besondere Unlust
des Geschmacksinnes übergeht, die es jetzt bezeichnet."
Auch süß ist nicht von der Geschmacksempfindung
ausgegangen. In seiner gothischen, griechischen und
lateinischen Form (sutis, *hédys*, suavis) bedeutet
das Wort nur angenehm oder sanft; und das Wort,
das die lateinische und griechische Sprache für den
Begriff süß gebrauchen (dulcis, *glykys*), bedeutet
im Gothischen (thlakvus) zart oder weich.

Die Unterscheidung durch Gesichtswahrnehmung, namentlich aber das Interesse für dieselbe ist die wesentlichste Eigenthümlichkeit des Menschen. Die dem Menschen im Uebrigen nächststehenden Geschöpfe beobachten die Welt vorwiegend durch den Geruchssinn. Was Thiere durch den Gesichtssinn zu beobachten pflegen, das beschränkt sich auf Bewegungen, und zwar meist solche, die mit ihren Bedürfnissen im Zusammenhange stehen. Gegenstände werden, wie dies namentlich vom Hunde nachgewiesen ist, durch den Geruchssinn unterschieden und wiedererkannt; ein veränderter Anblick bei unverändertem Geruch kann den Hund nicht zum Irrthum veranlassen: er erkennt seinen maskirten Herrn, weil er ihn gar nicht von dem unmaskirten unterscheidet. Selbst bei den Bienen müssen wir ein solches Erkennungs- und Unterscheidungsvermögen annehmen. Eine Biene wird in ihrem Stocke als einheimisch wiedererkannt, aber man kann dies verhindern und sie unkenntlich machen, wenn man sie in Wasser taucht. Der Mensch hatte bereinst dieselbe Fähigkeit der Unterscheidung durch das Geruchsorgan. Er hat sie ver-

loren, weil er in der Gesichtswahrnehmung ein viel
vollkommeneres Mittel der Unterscheidung entwickelte,
welches ihm die Uebung der thierischen Spürkraft
überflüssig machte, und sie schon hierdurch ver=
minderte, noch mehr aber durch eine Art von Ab=
sorption, welche bei jeder überwiegenden Ausbil=
dung eines Sinnes oder einer Richtung zum Nach=
theile einer andern einzutreten pflegt, beeinträchtigte.
Es ist bekannt, daß sich noch jetzt Naturvölker durch
eine Spürkraft auszeichnen, die sie befähigt, Spuren
durch den Geruchssinn zu finden und zu unter=
scheiden, wo es dem Europäer an jedem Unter=
scheidungsmittel gebricht. Gerade auf dem Punkte
nun, wo das Thier sich von dem Menschen in
Beziehung auf die Gesichtswahrnehmung scheidet,
tritt die Sprache ein. Sie geht von der Bezeich=
nung der sichtbaren Thierbewegung aus, womit die
Beobachtung des Thieres abschließt. Das Erste
und Früheste, was irgend eine Menschensprache
ausdrückt, ist eine solche sichtbare Thier= oder
Menschenbewegung. Man kann dieses Object eine
Geberde nennen, oder auch eine Miene; letzteres um
so eher, als das Wort Miene dem griechischen

mimos ebenso wie Pantomine dem *panto-
mimos* entspricht, und eigentlich eine nachahmende
Geberde bedeutet, wie sie den ersten Sprachlaut
vielleicht begleitet hat. Man kann, ja man muß
wohl, in das erste Object sprachlicher Bezeichnung
auch einen thierischen Laut, ein Murren, wie es
mit der bezeichneten Miene verbunden war, ein=
geschlossen annehmen, und kann daher den ersten
Sprachlaut als Wiedergabe eines Gegenstandes in
der thierischen Außenwelt ansehen, wo Lautwahr=
nehmung und Gesichtswahrnehmung wie in einem
Mittelpunkte zusammentreffen, wonach dann auch die
den Sprachlaut vielleicht erzeugende Nachahmung
in gewissem Sinne zugleich Schallnachahmung ge=
wesen wäre. Genug, die thierische Miene oder
Geberde war es, welche der erste Sprachlaut aus=
drückte, und von hier aus breitete er sich über das
Gebiet der Gesichtswahrnehmung aus, das er noch
heute nicht wesentlich verlassen hat.

———————

IV.

Daß nicht jeder Gegenstand der Gesichtswahr=
nehmung geeignet ist, unmittelbar durch die Sprache
bezeichnet zu werden, wird durch Nichts so ein=
leuchtend, als wenn wir z. B. die Entstehung
eines Farbenwortes beobachten. Schwarz und
roth, so unmittelbar sie durch den Gesichtssinn
wahrgenommen werden, sind dennoch überall von
einem älteren Begriffe benannt. Schwarz ent=
springt, wie schon das lateinische sordes beweist,
aus der Bedeutung „schmutzig"; der Zusammenhang
von niger und Nacht hat sich uns durch den=
selben Grundbegriff vermittelt gezeigt. Verfolgen
wir die Sanskritwurzel rang, auf deren nahe
Verbindung mit den erwähnten Begriffen wir ge=
stoßen sind, in einige ihrer speciellen Entwicke=
lungen, so finden wir, daß, außer Bezeichnungen

180

der Dunkelheit und dunkler Farben, auch Namen
der rothen, gelben und weißen Farbe aus dieser
Wurzel hervorgehen. Rakta heißt gefärbt und
roth; ragata weiß, und als Hauptwort das Weiße,
ferner das Silber, aber auch Gold und Blut;
arguna sowie rigra heißen roth und weiß, und
der lateinische und griechische Name für Silber,
argentum, *argyros*, schließen sich an die letzteren
Formen an. Bezeichnungen für die dunkle und
lichte Farbe liegen also in dieser Wurzel dicht
bei einander, und in den Veden findet sich sogar
ein mit Nacht ganz nahe verwandtes Wort, das
die Nacht und den Tag zugleich bedeutet.[83] Es ist
hier — und ich muß hinzufügen, in unzähligen
andern Fällen — das Farbige genetisch, als eine
aufgestrichene Flüssigkeit, und augenscheinlich nicht
als eine mit Bewußtsein und Absicht der Färbung
aufgestrichene, gefaßt. Die Unterschiede der
Farbe stellen sich erst später ein.[84]

Noch mehr, das Licht, das Feuer ist in der
Sprache nicht ursprünglich. Die Sprache ist älter,
weit älter als jeder Gebrauch des Feuers: aber
von dem Lichte der Sonne hätte man glauben

sollen, daß es einem unmittelbaren Ausdruck der Gesichtswahrnehmung erreichbar sei. Es ist nicht so; seltsam genug, das Licht entlehnt vom Dunkel den Namen. Formen der Wurzel rang und namentlich die nahe verwandte râg heißen leuchten. Die Versuche, solche Fälle damit zu erklären, daß das Färben ein Leuchtendmachen sei, sind nicht stichhaltig: denn der Begriff des Färbens geht ja vom Bestreichen, Beschmieren aus; und gerade die schwarze Farbe ist diesem Ursprunge die nächste. Ich glaube, es ist unläugbar: Licht ist der Sprache eine Farbe. Die Begegnung der Begriffe Schwärze und Licht ist zu häufig in der Sprache, um unbeachtet bleiben oder durch gelegentliche Auskünfte, wie daß die schwarze Farbe die des Verbrannten sei, umgangen werden zu können. Man erinnere sich nur der griechischen Wurzel *aithô*, flammen, worunter der Aether sowohl als die Aethiopen fallen, welche den Blitz, wie den Ruß und eine ganze Reihe von Farben in sich faßt, und man wird zugestehen, daß wir es mit Verwandten des verkannten Wortes *anthos*, Farbe, rother Saft u. s. w. und der ganz überraschend großen Zahl der dazu

gehörigen Verzweigungen zu thun haben, von denen
ich in meinem größeren Werke gesprochen habe.[7]
Neben fulgeo, glänzen, und fulgur, Blitzstrahl,
steht fuligo, Rauch, Ruß; neben ferveo, brennen,
furvus, schwarz; neben unserm brennen steht
braun; neben blau, Blei, bleich und dem
englischen black stehen die lateinischen flavus, gelb,
fulvus, rothbraun, und unser blank, blinken.
So sind wir denn hier auf den Begriff Blitz
gekommen, wovon oben mehrfache Versuche angeführt worden sind, ihn aus · irgend einem unmittelbaren Sinneneindrucke, einer unmittelbaren
Apperception zu erklären. Ich halte einen Zusammenhang der Wurzel frag, brechen, mit
blinken, mit flagrare, brennen, nebst Allem,
was mit diesem Worte verwandt ist, also auch
mit Blick im Sinne des Glanzes und mit Blitz,
d. i. einem starken oder wiederholten Aufleuchten,
nicht für unmöglich. Aber dieser Zusammenhang
könnte kein anderer sein, als daß die Wurzel flag
zerbröckeln bedeutete, daß sie über zerreiben und
bestreichen zum Färben, von da zum Farbigwerden,
Glänzen, und endlich durch den ebenso langsamen

als ungeheuren Proceß des Discursus zufällig in einigen ihrer Formen zu der Bedeutung des Blitzes gelangt sei."

Die Wurzel unseres Licht und leuchten zeigt in Lohe, lodern noch den Begriff der farbigen, rothen Flamme; im Gothischen sind außer den Wörtern des Lichts auch lauhatjan, blitzen, lauhmoni, Bliß, vorhanden. Die rothbraune Loh= farbe kann sehr wohl dasselbe Wort sein, wie das griechische *leukos*, weiß, glänzend; lohen heißt färben, trüben; Lohe ist die pulverisirte Rinde zum Lohgerben oder Rothgerben. Die Wurzel des Leuchtens, zu der im Lateinischen lux und lumen, Licht, lucere, leuchten, illustris, glänzend, luna, Mond, und im Griechischen *lychnos*, Leuchte, aber auch *lampō*, leuchten, gehört, tritt im Sauskrit in der Form ruk oder ruc auf; aber daneben finden sich auch die Formen ark, arc, und endlich varc, welche zu den sämmtlichen Variationen den Schlüssel gibt und ihnen wahrscheinlich zum Grunde liegt. Nun heißt von dieser Wurzel varc, scheinen, varcas „Glanz", aber auch Schmuß. Dies ist also auch hier die tiefste Stufe in der Begriffs=

scala, während die Form loc und das lautlich ge=
nau entsprechende*⁹ griechische *leussô* bis zu sehen
— ebenso wie blicken und das englische glance,
in denen der bei dem Anblicken im Auge wahr=
genommene Glanz den Hauptbegriff bildet — und
zu noch subtileren, geistigen Bedeutungen vorge=
schritten ist. Ob die Wurzel varc etwa mit den
vorher erwähnten des Färbens und Leuchtens, mit
rag und bhrag, verwandt sei, ist eine jener Fragen,
die von der Theorie der Alllautigkeit und All=
deutigkeit der Urwurzeln aus eine andere, aber
auch eine geringere Bedeutung annehmen. Es kann
uns genug sein, daß die Begriffsentwickelung in ihnen
den gleichen Gang innehält, und in verschiedener
Form dasselbe Gesetz zur Erscheinung bringt.

Auch Tag gehört zu diesem Begriffskreise:
dah, brennen, dih, bestreichen, beschmieren, duh,
melken, sind drei nahe verbundene Sanskritwurzeln,
an welche sich das deutsche Teig, das lateinische
fingo, kneten, bilden, und figura, aber auch
tingo, färben, anschließen.

Wenn man sich fragt, warum Licht und Farbe
keine benennbaren Objecte für die erste Sprach=

stufe gewesen seien, wohl aber das Aufstreichen
der Farbe, so liegt die Antwort darin: daß der
Mensch zuerst nur seine Handlungen oder die
von seines Gleichen benannte, daß er beachtete,
was an ihm selbst und in seiner unmittelbar ihn
interessirenden Nähe vorging, als er noch für so
hohe Dinge wie Licht und Dunkel, Glanz und
Blitz keine Sinne, kein Auffassungsvermögen hatte.
Mustern wir die in so großer Anzahl nun schon an
uns vorübergegangenen Begriffe durch: sie gehen
in ihren Anfängen auf einen äußerst beschränkten
Kreis menschlicher Bewegungen zurück.
Darum gehen die Begriffe von Gegenständen der
Natur auf so merkwürdigen Umwegen aus der
Anschauung einer menschlichen Thätigkeit hervor,
die sie auf irgend eine Weise zur Erscheinung
kommen läßt, oft auch etwas nur entfernt ihnen
Aehnliches hervorbringt. Darum ist der Baum
etwas Entrindetes, die Erde etwas Zerriebenes,
das auf ihr wachsende Korn etwas Enthülstes.
Darum gehen Erde und Meer, ja über den Be=
griff Wolke oft selbst der Himmel aus der glei=
chen Grundvorstellung von etwas Zerriebenem oder

Aufgeſtrichenem, lehmartig Halbflüſſigem aus. Ein
Blick auf eine Reihe ſemitiſcher Wurzeln und Wör=
ter, wie die hebräiſchen: maák, zerdrücken, maqaq,
zerreiben, maq, Moder, móg, zerfließen, moach
(für muelich), Marl, machah, zerreiben, ab=
wiſchen, machaq, tilgen, nimmoach, zerbröckeln,
weich werden; und die arabiſchen: makaka, pul=
veriſiren, mahá, wetzen, máâ, ſchmelzen, mahha,
zerrieben, abgetragen ſein, muḡaḡun, Speichel,
muhhun und máhun, Dotter, mahvun, wäſſerige
Milch, nebſt zahlreichen andern, nur um Weniges
ferner ſtehenden, — wird genügen, um dem Waſſer
— majim, máun, von mah — ſeine Stelle unter
denſelben Anſchauungen anzuweiſen.

Wir ſind in der Geſchichte des Begriffes zu einem
Punkte gelangt, wo wir von ihm verwirklicht ſehen,
was der römiſche Dichter [30] vom Chaos der Urzeit ſagt:

„Einſt war Alles vereint zu vermiſcht unförmlicher Maſſe;
Eine Geſtalt noch erſchien Erde und Himmel und Meer.“

Welch eine Erſcheinung mag die menſchliche Ver=
nunft wohl in den fernen Tagen jenes begriff=
lichen Chaos dargeboten haben, wo von ihrem
Inhalte der Satz gelten konnte:

„Da wo die Erde sich fand, da war auch Meer noch und
Himmel!"

Welche Zeiträume müssen verflossen sein, bis in
langsamen Niederschlägen die Schichten mannigfaltiger Begriffsbildung sich, eine der andern
folgend, gelagert hatten!

Die Anschauung der Farbe ist aus mehr als
einem Grunde besonders geeignet, uns die ganze
Armuth des menschlichen Denkens in einer Zeit
ermessen zu lassen, wo diese Anschauung ihm noch
nicht aufgegangen war. Unter den Benennungen,
die von der Farbe ausgehen, sind die jüngsten
die der Metalle; sie entwickeln sich mit dem Gefühle des Farbenunterschiedes und schließen sich
schon verschiedenen Farbenstufen an: Gold der
gelben, Silber der weißen, Blei der blauen,
d. i. schwarzen. Einer unvergleichlich älteren Zeit
müssen die Namen der Thiere angehören, die —
Säugethiere, wie Vögel (die Fische treten erst in
einer späteren Epoche hinzu) — in außerordent-
lich großer Zahl als etwas Farbiges aufgefaßt
worden sind. Diese Art der Benennung scheint
der Thierwelt gegenüber fast die allgemeine Norm

der ältesten Sprachperiode gewesen zu sein. Die Auffassung der Farbe ist hier, wovon das besonders die Thierfarbe bezeichnende lateinische Abjectiv fulvus noch merkwürdige Spuren zeigt, meistens ganz unbestimmt und schwankend. Sie spielt zuweilen in Rothbraun, zuweilen in Braungelb, oder auch in Grau. Namen des Affen, des Tigers, des Bibers und mannigfaltiger Vögelarten von diesem Ursprung sind schon an andern Stellen erwähnt worden. Der Name des Esels ist in manchen Fällen deutlich von der Farbe entlehnt: und so scheint mir denn auch asinus zu dem sanskritischen asita, schwarz, zu gehören.[91] Wolf, lupus (sanskritisch vrika, russisch volk) wird gewöhnlich als der „Zerreißer“ erklärt; aber ich sehe nicht ein, warum wir dieses Wort, als dessen älteste Form etwa valkva oder varkva anzunehmen ist, von der Wurzel vare (d. i. varkv). und das griechische lykos z. B. von amphilykē, Zwielicht, trennen sollen. Der Wolf würde demnach etwa „der Graue“ heißen, entsprechend dem homerischen Verse von dem „Felle des grauen Wolfes.“[92] Aehnliches gilt von rixa, arktos, ursus, Bär, und

daß das Wort Bär selbst, wie es von dem redupli=
cirten Biber gewiß ist, mit braun zusammenhängt,
ist nicht unmöglich. Auch Hund scheint zu diesen
Thierfarbenwörtern gerechnet werden zu müssen. Die
Benennung würde dann zu einer interessanten Wurzel
gehören, die fast die ganze Farbenscala in sich
enthält, und von welcher, so unähnlich die Wörter
in ihrer heutigen Gestalt auch klingen, unter
andern auch weiß und heiß stammen. Ich stelle
die folgenden Sanskritstämme zusammen, da sich
ihre innere Verbindung von selbst erklären wird:
çveta und çjeta, weiß; çjáva, braun, blau;
çjáma, schwarz, blau, grün; çoṇa rothbraun,
roth; çvas, morgen; çuci, çukla, çukra, çubhra,
weiß, glänzend; çocis Licht, Glanz. Die ursprüng=
liche Anlautsilbe dieser Wörter ist kva, ebenso
wie in çvan, Hund, und im Griechischen tritt
kyanos, schwarz, blau, dem *kyôn*, Hund, noch
nahe genug. Etwas anders umgestaltet ist die
Wurzel cand, glänzen, die ein anlautendes s
verloren hat, und mit dem lateinischen candeo,
weiß sein, entfernter auch mit *xanthos* zusammen=
hängt, aber mit der Sanskritwurzel çvind, weiß

seiu, fast identisch ist. In der Wurzel cjai, sowie in coenum, inquinare, finden sich die Bedeutungen der Uebrigen Flüssigkeit, des Schmuzes, als Ausgangspunkt für alle diese Farbenbegriffe.

Eine ähnliche Begriffsbeschränkung, ein ähnliches letztes Object findet sich in den Urbedeutungen der Wurzeln überall. Wir haben eine wahrhaft unerschöpfliche Fülle von Begriffen aus der Bedeutung „verbinden" hervorgehen sehen. Man darf nicht glauben, daß in diesem Grundbegriffe etwas Anderes, als eine sichtbare, mit natürlichen Organen ausführbare Handlung enthalten sei. Nicht einmal ein wirkliches Binden oder sonstiges Befestigen liegt ursprünglich in den Wurzeln, sondern bloß das Zusammendrücken, Zusammenfassen. Daher enthält z. B. der oben vielfach erwähnte griechische Stamm gam auch Wörter mit der Bedeutung der Last, der gedrängten Fülle (gomos, gemö). Daher auch kömmt der Begriff der Noth, des Druckes oder Dranges so oft in solchen Wurzeln zum Vorschein, zuweilen dicht neben Wörtern der Verwandtschaft. Vermuthlich aus diesem Grunde stehen penthos und kédos, Leid,

neben *peutheros* und *ké\-destés*, der Verschwägerte[21].
Im Hebräischen heißt sarar zusammenfassen und
bedrängen; seror das Bündel und sar, sorer
Feind; sarah heißt Noth, von sarar, bedrängen,
als das Bedrängende, und zugleich Mitfrau
desselben Mannes, von sarar, zusammenfassen,
zusammenheirathen.

Nachdem die Begriffe in so tausendfache Arme
aus so wenigen Anfängen auseinanderströmen, kann
es nicht Wunder nehmen, wenn auch dies Wenige
die gleiche Verengerung noch ferner zuläßt. Die
thierische Bewegung, die die Sprache in ihrem
Urzustande ausdrückt, ist nicht etwa nach den Or=
ganen, mit denen sie ausgeführt wird, oder nach
sonstigen Unterschieden in den Wurzeln ausein=
andergehalten. Mordeo heißt im Lateinischen beißen,
im Sanskrit heißt die Wurzel mrid mit den Hän=
den reiben, streichen, zerbröckeln, zerschlagen, auch
zertreten. Ebenso heißt die unserm beißen ent=
sprechende Wurzel im Lateinischen (findo) und im
Sanskrit (bhid) zerreißen, zerbrechen, zerspalten.
Die Sprache läßt sich auch hier nicht festhalten
und auf Bestimmtheit und isolirte Bedeutung brin=

gen. Man kann höchstens zweifelhaft sein, ob die ersten Sprachlaute das Scharren, Reiben, Beißen ohne Unterschied als heftige, sichtbare Bewegung des thierischen Körpers bezeichnet haben mögen, oder ob eine bestimmte Bewegung von so überwiegendem Eindruck gewesen sei, daß sie zum Ausgangspunkt für die ganze, gewaltige Entwickelung werden, und das einzige in dem ersten Momente der erwachenden Wahrnehmung angeschaute und benannte Phänomen bilden konnte. Mehrere Gründe lassen mich auf das Letztere schließen und glauben, daß es das menschliche Antlitz gewesen, das diesen großen Zauber ausgeübt hat. Ueberall sonst zeigt sich der Begriff nicht bloß in Entfaltung, Scheidung, Ausbreitung des in ihm schon von Anfang Enthaltenen, sondern in wirklicher Zunahme, im Weiterschreiten über die Objecte begriffen. Auch ist in zahlreichen Wortreihen die Energie noch fühlbar, mit der gerade das Zucken und die Verzerrung des menschlichen Mundes wiedergegeben werden soll; und endlich tritt nur so das Verhältniß des hörbaren Schalles zu den sonstigen Sprachobjecten in ein klares Licht.

Die Wurzel mard, reiben, beißen, führt zwar
einerseits auf mar, mal, zerreiben, mit ihrer zahl=
losen lautlichen und begrifflichen Familie (wozu
unter den oben besprochenen Wörtern z. B. Meer
gehört); aber auf der andern Seite schließt sich
auch mando, kauen, an, und mit diesem eine
ebenso unübersehbare Menge von sprachlichen Dar=
stellungen mehr oder weniger lautwerdender Be=
wegungen des Mundes. Es gehört dahin (mit
dem in den indogermanischen Wurzeln so häufi=
gen, und auch in schmieren vorhandenen An=
laut s) schmunzeln, griechisch *meidiaô* lächeln,
englisch smile, sanskritisch smi; woran sich wie=
der reihen: schmollen (das Verziehen des Mun=
des im Unwillen); schmuggeln, munkeln,
mogeln und meucheln, welche das Heimlich=
flüsternde schildern; mäkeln, eigentlich das leise
Zuflüstern des Zwischenhändlers; schmeicheln.
Ferner mucken, muckfen und mutzen, muf=
fen (verdrießlich brummen, ein verdrießliches Ge=
sicht machen), mummeln (brummen, in den Bart
murmeln), muffeln und mumpfeln (ge=
fräßig mit vollem Munde essen). Daß auch

ſchmecken zu dieſer Wortreihe gehört, zeigt deut=
lich die verſtärkende Ableitung ſchmaßen (gebildet
wie blißen von blicken); das Wort wird auch
auf Geruch übertragen, ein Zuſammenhang, der noch
in manchen andern Fällen wahrſcheinlich iſt, und
zeigt, daß die Bezeichnung des Riechens vom Be=
ſchnüffeln ausgeht. Aber beſonders wichtig iſt es, daß
Bezeichnungen des Mundes und Antlißes ſelbſt aus
dieſen Wurzeln hervorgehen. Maulen läßt ſich
nicht wohl von ſchmollen und ähnlichen trennen;
alſo iſt Maul der mürriſch verzerrte Mund; ja auch
Mund und die Sanskritbezeichnung für denſelben,
mukha, gehen ohne Zweifel von dieſer Bedeutung
aus. Mumme (Maske), vermummen, Mummel
(Geſpenſt) erklären ſich aus Fraße, welches wohl
mit freſſen zuſammenhängt [14]; und auf dieſelbe
Weiſe möchte ich den Zuſammenhang von Maske
mit der Wurzel mand erklären, den Grimm auf
eine andere Art herſtellt. [15] Wir ſind hiermit der
Geberde, der Miene, deren Bezeichnung wir
aus dem Begriffe der Mimik haben entſpringen
ſehen, nahe genug gekommen. [16] Nur an die zahl=
reichen Stämme ſei noch erinnert, in denen das

m durch n erſetzt iſt: an ſchnauben und
Schnauze, nieſen und Naſe, ſchnarren,
ſchnarchen, und ſo viele andere.

Weit im Laute von den bisher aufgezählten
abweichend, und doch mit einer höchſt merkwürdi=
gen Uebereinſtimmung der Anſchauungen entwickelt,
iſt eine ſehr umfangreiche Wortgruppe, zu der
grinſen gehört.⁷⁷ Das nahe verwandte Grimm
bedeutete ehedem noch ſtärker, als heute, einen
wüthenden Zorn; grimmen hieß vor Schmerz
und Wuth toben und brüllen. Die leidenſchaft=
liche Gemüthsbewegung iſt, wie überall, von ihren
Symptomen benannt; und vermuthlich iſt Schmerz
auf ganz ähnliche Weiſe von der vorhergeſchilder=
ten Wurzelgruppe ausgegangen.⁷⁸ Auch Gram
hatte nicht von jeher den Begriff eines tiefen
Seelenſchmerzes: in älterer Zeit wog die in den
Adjectiven gram und grämlich enthaltene Vor=
ſtellung verdrießlich, mürriſch, vor; im Mittelhoch=
deutſchen iſt gremlich ſoviel als grimmig, wüthig.
Greinen bedeutet jetzt mit verzogenem Geſichte
weinen; in der älteren Sprache war es mit grin=
ſen gleichbedeutend, wie das engliſch grin, das

auch, gleich dem mittelhochdeutſchen grinnen, das
Zähneknirſchen bedeutet. Leßteres iſt auch die
Grundbedeutung von Griesgram: das mittel⸗
hochdeutſche grisgram, nebſt dem Zeitworte gris⸗
gramen oder grisgrimmen, heißt Zähneknirſchen,
und iſt wahrſcheinlich eine Reduplication der Wurzel
grim, dergleichen auch im engliſchen grimgrinning,
grinſend, anzunehmen iſt. Auch ein Wort für
Maéle fehlt nicht: es iſt das altnordiſche grima.
Entweder von dieſem (wie Diez glaubt), oder auf
eine andere Weiſe von der hier behandelten Wurzel
kommt das franzöſiſche grimace. Mittelhochdeutſch
heißt grin das Wiehern und zugleich Rachen.
Daß aber auch in Beziehung auf den ſonſtigen
Begriffszuſammenhang die Analogie mit der an
mard und mordeo angeſchloſſenen Gruppe voll⸗
ſtändig iſt, ſieht man z. B. an dem engliſchen
to grind, reiben, mahlen, aber auch mit den
Zähnen zermalmen, knirſchen. So nahe hängen
grinſen und Grund zuſammen.

Daß ſich Wörter, die allerlei Laute bezeichnen,
zu den hier aufgezählten geſellen, läßt ſich wohl
denken. Von Wurzeln mit m oder n ſind einige

schon erwähnt worden; doch sind auch ganz specielle Thierlautbezeichnungen anzuführen, z. B. mugire, brüllen. Einen ganz unbewältigbaren Umfang nimmt eben diese Begriffsabzweigung bei der Gruppe an, die wir an grinsen angeschlossen haben. Wie grin, so bedeutet auch schon die entsprechende griechische Wurzel: wiehern, und zwar neben Zähneknirschen. Ebenfalls verwandt ist das lateinische hinnire, wiehern, aber auch grunnire, grunzen. Es ist unmöglich, die ungeheure Menge von angrenzenden Wurzeln, welche die verschiedenartigsten Töne bezeichnen, auch nur andeutungsweise zu berühren. Es genügt, auf die Verwandtschaft mit grollen, mit brummen und brüllen, ja mit dröhnen und stöhnen, und selbst donnern hinzuweisen. "

Der Laut in seiner Mannigfaltigkeit auf der einen Seite, die Menge der nicht nothwendig lauten Bewegungen auf der andern, finden in dem Gesammteindrucke der mit einem Laute verbundenen Verzerrung des Mundes ihren Mittelpunkt. Man kann, aus mehr als einem Grunde, nicht annehmen, daß das Wiehern des Pferdes, das Brüllen des Rindes der ältere, die im menschlichen Gesichte wahrnehmbare Veränderung der jüngere Begriff sei. Welcher Antheil dem Gehöreindrucke bei dem Zustandekommen des ersten Wortes zuzuschreiben ist, kann vielleicht fraglich gefunden werden. Aber bemerkenswerth ist es, daß es gerade die an sich eindrucksvollsten Laute nicht sind, die in den ältesten Bezeichnungen mitenthalten zu sein scheinen. Gewiß ist ferner, daß, wenn auch eine Art von Anziehung von Seiten des ausgedrückten Naturlautes in der Folge einige Aehnlichkeit bewirkt haben mag, doch an eine ursprünglich unterscheidende Bezeichnung der verschiedenen gehörten Laute nicht gedacht werden darf. Es kann überhaupt nur ein Object an den Anfang der Sprache gesetzt werden, nicht mehrere. Dies eine Object war ganz unzweifelhaft nicht bloß ein Gehöreindruck; aber es ist wahrscheinlich, daß ein Gehöreindruck mit demselben verbunden war. Das erste Sprachobject trifft endlich aller Wahrscheinlichkeit nach mit demjenigen selbst zusammen, wodurch es zum Ausdrucke kam: es war eine dem ersten Sprachschrei, der ersten Sprachbewegung vielleicht völlig gleichende gesehene und gehörte Bewegung eines menschlichen Mundes.

Da in diesem Anfange die Sprache mit ihrem Objecte zusammenfiel, so wurde sie verstanden; oder richtiger, sie wirkte ebenso, wie das Dargestellte: denn die Absicht, etwas mitzutheilen, was verstanden werden sollte, hatte der Mensch noch nicht. Aber schon mit diesem ersten Augenblicke trat Differenzirung, Sprachgebrauch und Begriffsentwickelung mit ganz ähnlichen Folgen in das Leben, wie sie in der Sprache aller Zeiten zum Vorschein kommen. Der Laut erfolgte bei Gelegenheit einer etwas andern Geberde, für deren Verschiedenheit noch kein Sinn vorhanden war. Auch der Laut selbst veränderte und vervielfältigte sich, jedoch ohne von Anfang an auf verschiedene Objecte vertheilt zu sein. Diese Vertheilung erfolgte erst, wenn bei hinlänglicher Unterscheidbarkeit der Objecte sich ein numerisches Uebergewicht für einen der Laute zufällig hergestellt hatte. Da alle diese Vorgänge gemeinsam waren, so wurde das Verständniß niemals unterbrochen. Der Sprachlaut erinnerte in Folge der Bedeutungsvertheilung nun Alle an etwas Verschiedenes, wie er vorher nur an Eines erinnert hatte.

Diese Vorgänge, von denen ich hier mit
wenigen Worten noch zu sprechen habe, gehören
der verborgensten Urzeit an; sie bilden das eigent=
liche, innerste Heiligthum der Sprache und des
Geistes, die Stätte wo der heilige Funke der
Menschenvernunft aus ewigem Dunkel zuerst ent=
sprang. Und dennoch sind auch diese Regionen nicht
auf immer für uns in Nacht getaucht. Es ist ein
stolzer und hoffnungsvoller, das menschliche Denken
zu kühnem, männlichem Streben aufrichtender Ge=
danke, der uns spornen kann, unablässig die Natur
auch um ihre letzten Räthsel zu befragen und an
der endlichen Lösung auch ihrer tiefsten Geheim=
nisse nicht muthlos zu verzweifeln, wenn wir sehen,
daß die Geschichte uns den Einblick in jene wunder=
baren Thatsachen nicht weigert, und daß eine exacte
Wissenschaft von den ersten Anfängen der Sprache
nicht nur möglich, sondern wirklich gegeben ist.

Wir finden in unmittelbarer Verbindung mit
den oben aufgeführten, den Anlaut m zeigenden
Wortreihen das griechische myô, mit der Bedeu=
tung „den Mund verschließen, die Augen schließen,
blinzeln." Wie werden wir den Zusammenhang mit

jener Wortreihe, wie die zeitliche Aufeinander=
folge der Bedeutungen zu erklären haben? Ich
denke, doch wohl so, daß das Verschließen des
Mundes, das Zusammenpressen der Lippen der ur=
sprünglich in dem Worte *myô* enthaltene Begriff
gewesen sei, und daß die rasche Wimperbewegung
beim Oeffnen und Schließen des Auges der Wahr=
nehmung eine so große Aehnlichkeit darbot, daß
man (und wie es scheint, von jeher [100]) auch dies
durch *myô* bezeichnete, gleichsam als ein Zusammen=
kneifen der Augenlieder. Hierauf deutet schon die
nahe Verwandtschaft mit *myzaô*, saugen, mit *myzô*,
stöhnen, mit *myeô*, in das Geheimniß der *mystéria*
einweihen (eigentlich: raunen), mit *mythos*, Rede,
und vielen andern, die alle eine Bewegung des
Mundes schildern. Wenn nun aber ebendasselbe
myô auch das Sichschließen der Wunde bedeutet,
so ist hier augenscheinlich die klaffende Wunde als
ein offener Mund angeschaut, wie es, freilich mit
bewußter Vergleichung, auch bei Shakespeare heißt:
„sweet Caesar's wounds, poor, poor, dumb mouths."
Mys, myax, die Mießmuschel, welche ihre beiden
Schalen zusammenschließt, überhaupt die Muschel,

was ist sie anders, als ein ebensolcher Mund? *Mys, myôn* heißen ferner Muskel, Maus der Hand; ebenfalls das, was sich wie ein Mund öffnet und schließt. Und wenn wir nun das deutsche Wort Mund in älterer Zeit zugleich mit der Bedeutung „Hand" vorfinden, wie das verwandte lateinische manus, so will ich zwar nicht eben behaupten, daß das Wort unmittelbar auf Hand übertragen, die Hand als ein Mund, der sich öffnen und schließen läßt, gefaßt sei; aber der Weg von dem Begriffe „den Mund schließen" auf „die Hand schließen," scheint mir völlig nachweisbar. Finden wir endlich Wörter, die von dem Schließen der Hand auf das Zusammendrücken vermittelst derselben, von da auf das Zusammenfassen, von da auf das Verbinden, und endlich auf die unübersehbare Reihe von Begriffen langsam übergehen, die wir zum Theil, aber freilich nur zu sehr kleinem Theil, schon in ihrem Zusammenhange mit dem Begriffe des Verbindens beobachtet haben: so läßt sich an diesem ganzen Processe schwerlich noch etwas mißdeuten.

Wie verhält es sich aber mit beißen, mit

mordeo? Ich sehe nicht ein, warum es sich da=
mit anders verhalten sollte. Wenn blid sowohl
das Beißen, als das Zerreißen z. B. mit den
Händen ausdrückte, so konnte es sehr wohl von
der Vorstellung der zusammengekniffenen Lippen
ausgegangen sein. Und mard, das das Zerreiben
mit den Fingern, das Reiben und Aufstreichen
neben dem Beißen bedeutet, konnte ebensowohl
bereinst das letzte allein bedeutet haben. — Die
Wurzel bhrag heißt brechen, und wir haben sie
zugleich in mancherlei Formen bis zur Benennung
von Flamme und Farbe, Blitz und Licht verfolgt.
Aber sie zeigt auch Abzweigungen mit der Bedeutung
essen, und das Brechen, das sie darstellt, kann
daher sehr wohl ein Brechen mit den Zähnen sein.

Man wird bemerken, daß der Anlaut der eben=
erwähnten Wurzeln, deren Abkömmlinge, wie ich
kaum erst erwähnen muß, nach Tausenden zählen,
in den Lauten m oder b besteht. Aber auch Wurzeln
wie da und dak bedeuten beißen, und von diesen
läßt sich ganz dasselbe wie von jenen mit Lippen=
lauten beginnenden sagen. Wenn der Sprachlaut
bereinst ein Nachbild der Bewegung des Mundes

gewesen ist, die er ausdrückte, so konnten leicht
mehrere Laute die gleichen Dienste thun; denn die
Sprachlaute bestehen ja eben alle aus Bewegungen
des Mundes. Ja es ist nicht unmöglich, daß einzelne Bewegungen eine speciellere Nachbildung in
den Sprachlauten finden, daß z. B. das l in lecken,
in lingua die Bewegung der Zunge, namentlich das
Herausstrecken derselben, der Lippenlaut in blasen
den aus halbgeschlossenen Lippen ausströmenden
Hauch, das n in niesen, schnarchen, schnüffeln
die Betheiligung der Nase bei der Bewegung wieder=
geben soll. Nur ist eine solche Specialisirung gewiß
nicht ursprünglich, vielmehr bloß als eines der
wunderbar feinen Motive anzusehen, die sich in
die Feststellung der Sonderbegriffe einmischen; wie
denn z. B. in lingua das l aller Wahrscheinlich=
keit nach sehr jung ist, und in dem griechischen
myktér, Nüstern, Nase, Nasenrümpfen, einem deut=
lich aus der verzerrenden Bewegung des Gesichts
entwickelten Worte, nur wieder jenes allgemeine,
auch die Mundbewegung beim Stöhnen, Saugen,
Beißen u. s. w. ausdrückende m zum Vorschein kommt.
Bei einem andern Objecte, als der Bewegung

der Sprachorgane selbst, ist ein solches Nachbilden gar nicht denkbar; und falls man etwa geneigt sein sollte, bei der ersten Differenziirung des Lautes solche Unterscheidungen, wie die, ob das Geschilderte eine Bewegung der Lippen oder der Zunge gewesen, als wirksam anzunehmen, so fällt die Möglichkeit einer solchen gleichsam motivirten Differenziirung sofort weg, sobald der Sprachlaut von der Bewegung des Antlitzes auf eine sonstige übergeht, und überhaupt aus seinem Keimzustande heraustritt. [101]

Ebenso möchte ich es als eine Frage von kaum erheblicher Wichtigkeit betrachten, in wiefern z. B. in *myo*, die Lippen zusammenbeißen, in *myzo*, stöhnen, und *mugio*, brüllen, auch der Schall durch den Sprachlaut wiedergegeben werden solle? Wenn der Sprachlaut die gehörte und gesehene Lautbewegung selbst war, so ist es eine müßige Distinction, zu fragen, ob der Schall oder die ihn hervorbringende Bewegung nachgeahmt worden sei. Genug, daß nur solche Laute wiedergegeben werden, die unmittelbar in den Bereich der Articulation fallen, ich möchte sagen, nur articulirte Laute, und daß sie nur im Momente der Sichtbarkeit

wiedergegeben werden. Hieraus folgt, daß, weit
entfernt einer sogenannten Lautmetapher zu bedürfen, d. i. eines Sprunges von dem Hörbaren
auf ein vermeintlich ähnliches Sichtbare (wobei
bis zum Ueberdrusse der Vergleich der rothen Farbe
mit dem Trompetenstoß angeführt zu werden pflegt)
die Sprache ganz im Gegentheile sofort in dem
ersten Moment ihres Erscheinens sich auf ihrem
eigensten Gebiete, dem des Gesichtssinnes befindet. [100]

Blicken wir noch einmal auf die Probleme
zurück, die sich in mancherlei Gestalt von den
dunkelsten Zeiten bis auf die Gegenwart herab
an das Wunder der Sprache knüpfen, so zeigt
sich auch hier, wie so oft in der Geschichte der
menschlichen Forschung, daß unter Gegensätzen und
Meinungskämpfen die Keime der Wahrheit auf
vielen Punkten zerstreut vorhanden sind, und der
wahre Sinn einer Richtung, einer Parteianschauung,
wohl auch des Gedankensystems eines Einzelnen nicht
einmal richtig verstanden und gewürdigt werden kann,
bis der ganze große Proceß zu Ende gespielt, das
allen diesen Bestrebungen zu Grunde liegende Bedürfniß befriedigt, und die Fragen, um welche viele

Geschlechter gekämpft, zu ihrer endlichen Lösung gelangt sind.

Fast auf alle über das Wesen und den Ur=
sprung der Sprache seit dem Alterthum erhobenen
Fragen kann man ebensowohl mit Ja als mit
Nein antworten. Sind die Worte Produkte der
Natur oder der Willkür? Beides, und beides nicht.
Kein Wort hat naturnothwendig seine bestimmte
Bedeutung; insofern sind sie alle willkürlich: aber
keines ist zu seiner Bedeutung durch menschliche
Willensthätigkeit gekommen. Die Vorstellungen
von Natur und Willkür haben sich uns unver=
merkt unter der Hand verändert; sie sind uns
nicht mehr, was sie den Griechen gewesen sind.
Wir können der Grundanschauung nach in Be=
ziehung auf diesen Gegensatz ebensowohl Plato als
Aristoteles, Demokrit nicht weniger als Epikur
beistimmen. Wenn Plato und Epikur, beide in
sehr abweichendem Sinne, ursprüngliche Bestand=
theile von secundären unterschieden, und nur die
ursprünglichen der Natur entstammen ließen, so
liegt in dieser speculativen Unterscheidung eine noch
tiefere Wahrheit, als sich in dem Gegensatze der

Wurzeln und abgeleiteten Wörter verwirklichte.
Man kann den ersten Laut der Sprache einen
Naturlaut nennen, man kann ihn wie Epikur
seine Urwörter auf eine „natürliche Regung" zurückführen; man muß jedoch ebensosehr dem Urtheile
des Aristoteles beipflichten, wenn er, offenbar
unter kritisirender Anspielung auf Plato's Ansicht,
mit seiner gewohnten Kürze sagt: von Natur sei
kein einziges Wort. Aber unter Allem, was die
Speculation über die Sprache an tiefsinniger Wahrheit geahnt und verkündet hat, ist nichts so be-
deutungsvoll, als das prophetisch am äußersten Anfang aller europäischen Sprachbetrachtung stehende,
und obwohl viel bewunderte, doch vielleicht noch
immer nicht völlig und nach Verdienst gewürdigte
platonische Gespräch Kratylos.[168] Plato erkennt in
den Urlauten der Sprache Nachahmungen. Diese
sind freilich durchaus reflectirt; sie haben den bewußten Zweck der Bezeichnung, der Mittheilung.
Die Abhängigkeit des Denkens von der Sprache
wird nicht geahnt, geschweige die Priorität der
Sprache; ja es wird aus der bei der Sprachschöpfung wirksamen Vernunft geradezu auf die

Entbehrlichkeit der Worte für die Erkenntniß der
Dinge geschlossen. Diese Auffassung kann vom
Standpunkte Plato's auch gewiß nicht überraschen.
Plato neigt durchaus zu der Ansicht, daß der
Mensch sich auf Erden in einem gesunkenen Zu=
stande befinde; das Alterthum erscheint ihm in
einem verklärten Lichte, die alten Dichter und
Weisen, die Sagen der Vorzeit bergen ihm eine
in Räthsel gehüllte, halbverlorene, tiefe Wahrheit.
So scheinen ihm denn auch die uralten Sprach=
schöpfer, obwohl nicht mit übernatürlichen Kräften
begabt, sondern Menschen und fehlbar, doch in
Folge einer philosophischen Grundansicht über die
Welt die Urbegriffe ihrem Systeme gemäß gewählt
und aus der Masse der Dinge mit hoher Weis=
heit, mit einer Kunst, die er als die seltenste von
allen bezeichnet, ermittelt, und die treffendste Nach=
bildung durch Buchstaben und Combinationen von
Buchstaben festgestellt zu haben.

In der That hat alles Menschliche eine solche
Beschaffenheit, daß es nur entweder als Entartung
oder als Entwickelung begreiflich wird. Es sind
überall in uns Ansätze zu einer höheren Voll=

kommenheit, die entweder noch nicht erreicht, oder verloren und zerstört sein muß. Wir sehen uns mitten auf einem Wege, und können nur zweifeln, ob, was wir an seinem fernen Ende sehen, unser Ziel oder unser Ausgangspunkt sei. Plato, der einem tiefen Zuge der menschlichen Seele, und mehr noch vielleicht einem mächtig eingedrungenen Völkerglauben folgend, ein verlorenes Paradies „träumte", setzte auch die Sprache nicht aus unvollkommeneren, sondern im Gegentheile aus reineren, die Außenwelt richtiger darstellenden, einer ungetrübteren und schärferen Erkenntniß entsprungenen Elementen zusammen. Aber die Art, wie er die Dinge durch die Sprache nachgeahmt werden läßt, ist höchst merkwürdig und geht von einer Anschauung aus, deren Eigenthümlichkeit kaum bemerkt oder in ihrer Bedeutsamkeit erkannt worden ist. Ein Geist wie dieser, einer der wunderbarsten, die in einem griechischen Haupte dachten, ein bevorzugter Sprosse jenes Volkes mit den „sonnenhaften Augen" [104] — ein Solcher konnte unmöglich in dem Schalle das nachzuahmende Wesen der Dinge sehen; er, dem sogar das ewige Urwesen eines jeden Dinges eine „*idea*“, ein Bild war. „Wenn wir keine Stimme und keine Zunge hätten,“ sagt er, [105] „und uns doch die Dinge mittheilen wollten, würden wir nicht, wie jetzt die Stummen, mit den Händen, dem Kopfe und dem übrigen Körper Zeichen geben? Wollten wir o b e n oder l e i c h t ausdrücken, so würden wir, denke ich, die Hand zum Himmel heben, und so die Natur der Sache selbst nachahmen; für u n t e n oder s c h w e r würden wir auf die Erde deuten; wollten wir ein laufendes Pferd oder anderes Thier ausdrücken, so würden wir unsern Körper und unsere Haltung demselben so ähnlich als möglich machen. Da wir uns nun aber mit Stimme, Zunge und Mund ausdrücken wollen, so muß die Nachahmung durch diese geschehen. Aber nicht jede Nachahmung mit der Stimme ist ein Nennen; denn sonst würde auch der, welcher Schafen, Hühnern und andern Thieren nachahmt, nennen. Auch die Musik ist eine Nachahmung mit der Stimme, aber kein Nennen. Die Dinge haben Klang und Gestalt, vielfach auch Farbe; das Eine ahmt die Musik nach, das Andere die Malerei. Aber haben sie

nicht außerdem ein Wesen? Ja, haben nicht auch
Farbe und Klang selbst, und Alles, wovon man
sagen kann „es ist," ein Wesen? Dieses Wesen mit
Buchstaben und Silben nachahmen, ist Benennen."
Es gibt nach Plato viele Urwörter, und man muß
untersuchen, ob ihr Laut ihr Wesen ausdrückt.
Er fängt mit den Buchstaben an, und glaubt
z. B., daß die Bewegung durch r nachgebildet
worden sei, weil der Wortbildner „erkannte, daß
die Zunge dabei am Wenigsten ruhe, am Meisten
in Bewegung sei;" „das Zusammendrücken und
Stemmen der Zunge beim d und t scheint der
Wortbildner für die Nachahmung des Bindens
und der Ruhe brauchbar gefunden zu haben."

Ich möchte glauben, daß die Theorie der
Schallnachahmung nur durch Mißverständniß aus
Plato's Ausdruck „Nachahmung mit der Stimme"
hervorgegangen ist. Noch im späten Alterthum
ist *phōnḗ* nicht nur der Schall im Sinne des Ge-
höreindrucks, sondern etwas ganz Reelles, Körper-
liches. Die Ansichten der Stoiker von der Schall-
bildung sind von der Art, daß die heutige Wissenschaft sich wörtlich zu ihnen bekennen kann. „Wenn

die Luft von dem Hauche getroffen wird, so be=
wegt sie sich wellenförmig in senkrechten Kreisen
in den unendlichen Raum, wie ein von einem
Steine getroffenes Wasser; nur wird dieses kreis=
förmig bewegt, die Luft aber kugelförmig.“ Man
glaubt einen Naturforscher unserer Tage in diesen
Worten zu hören, die uns ein alter Schriftsteller[106]
als Meinung der Stoiker aufbewahrt hat. —
Außerdem war in *phoné* auch der Begriff der
Bewegung der Stimmorgane, der Stimme als
physiologischen Vorgangs, ja der Begriff Sprache
mit eingeschlossen. Wie leicht mußte daher eine
Nachahmung mit dem Schalle in eine Nach=
ahmung des Schalles übergehen, und „mittels
des Schalles“ von „mittels der Stimmorgane“ oder
„mittels der Sprache“ scharf zu unterscheiden, war
kaum möglich. Aber Plato hatte ohne Zweifel
nichts Anderes, sagen wollen, als daß die Sprache
eine Nachahmung durch Bewegungen, eine Mimik
mittels der Sprachorgane sei. Freilich dachte er
hierunter eine symbolisirende Mimik, indem
er dasjenige, was nachgeahmt wird, im Gebiete
des Denkens, anstatt der Sinne, oder vielmehr

des Gesichtssinnes, suchte. Auch hat er sich —
wie es bei solchen Ahnungen zu geschehen pflegt —
durchaus nicht auf der Höhe seines Gedankens gehalten; er verirrt sich soweit, die Wahl einiger
Laute aus der Aehnlichkeit der Gestalt des S c h r i f t -
z e i c h e n s mit den symbolisch zu bezeichnenden Gegenständen zu erklären. [107] Wir finden einen solchen
Mangel an historischer Perspective höchst wunder-
lich. Aber das Alterthum dachte Sprache und
Schrift wegen der Aehnlichkeit der Wirkungen für
die Mittheilung überhaupt näher zusammen, und
schrieb ihre Erfindung öfters demselben Gotte zu;
wie die moderne Welt zwei nicht minder heterogene Dinge, die Buchstabenschrift und die Buch-
druckerkunst, zuweilen in einen allzunahen Gedan-
kenzusammenhang bringt. [108]

Was Plato übrigens von der Nachahmung
der Thierstimmen sagt, ist nicht etwa gegen eine
Erklärung der Sprache aus einer derartigen Nachahmung gerichtet — eine solche existirte noch nicht [109]
— sondern es wird nur zum Zwecke der richtigen Definition der Unterschied des Sprechens von
einem solchen etwa zum Scherz geübten Nach-

ahmen des Thierschreies aufgesucht. Endlich ist
für die Beurtheilung der platonischen Stelle wohl
auch noch in Betracht zu ziehen, daß dem ganzen
Gange der menschlichen Entwickelung gemäß die Betrachtung der Bewegung der Organe beim Sprechen
in eine sehr alte Zeit zurückgeht, und daß die feinen
Beobachtungen des frühen Alterthums hierüber mit
dem auf das Mienenspiel so vorwiegend gerichteten Interesse der Urzeit selbst zusammenhängen.

Die in der altindischen Grammatik auf-
getauchte Frage: warum ein bestimmter Haupt-
wortbegriff von diesem und keinem andern Thätig-
keitsbegriffe abstamme? ist vielleicht diejenige,
auf welche in der Geschichte der Sprachforschung am Wenigsten eine befriedigende Antwort zu finden ist. Dieselbe darf durchaus nicht
mit der Frage der Synonymie und Homonymie
verwechselt werden: denn diese kommt zuletzt auf
die allgemeine Frage zurück, ob und warum ein
bestimmter Laut einem bestimmten Begriffe ent-
spreche? [110] Wir haben gesehen, wie die Inder
sich in Betreff des Wechselverhältnisses der Begriffe
von Haupt- und Zeitwörtern dabei beruhigten,

daß es in der historisch gegebenen Sprache nun einmal so ist, und wie die moderne Sprachwissenschaft ihnen hierin beistimmte und in der Bildung eines Wortes aus einem Grundbegriff etwas Willkürliches, allen Gesetzen sich Entziehendes erblickte, was nur durch empirisch geschichtliche Forschung für jeden einzelnen Fall ermittelt werden könnte. Dies ist ein Irrthum. Nur das Verhältniß von Laut zu Begriff, nur die jedesmalige Wahl eines bestimmten Lautes ist ein Ergebniß — nicht der Willkür, aber des Zufalls. Das Verhältniß der Begriffe zu einander, die Entstehung aus bestimmten Grundbegriffen, ist gerade bis in das Einzelnste gesetzlich, mehr als irgend etwas in der Sprache, und enthält das Grundgesetz der menschlichen Geistesentwickelung selbst. Der Begriff entsteht immer aus einem andern, dessen ungefähren Ort man im Allgemeinen mit Sicherheit vermuthen kann. Er läßt sich, vielfach auf Umwegen, aber stets sicher, auf einen kleineren und immer kleineren Kreis zurückverfolgen, und strebt unausbleiblich dem Punkte zu, wo es kein Denken und kein Sprechen mehr gibt.

V.

Die Gesichtswahrnehmung, deren Ausbildung
den Vorzug des Menschen vor dem Thiere bildet,
ist nicht mit einem schärferen Gesichtssinn zu verwechseln. Hierin mögen manche Thiere ihn über-
treffen. Es ist das, was man das Vermögen der
Anschauung nennen könnte, ein Sinn für die Gestalt und deren Unterschiede, welcher das Wesen
des plastischen Talentes ausmacht, und auch in
der Poesie als Anschaulichkeit zu Tage tritt. Wer
mit dem Studium bestimmter Gestalten vertraut ist,
der bemerkt besondere Unterschiede, die Anderen, in
Betreff des Sinnesorgans vielleicht besser Begabten,
entgehen. Ganz Anderes sieht der Kenner in einer
osteologischen Sammlung, oder in einem Kunst-
cabinet, der Architekt an einem Gebäude, als der
Ungeübte, der nur den Gesammteindruck empfängt
und von den Einzelnheiten Nichts bemerkt. Wie

solchen höheren, außergewöhnlichen Anforderungen
der unentwickeltere Mensch, so steht der Welt
mit ihren mannigfaltigen Gestalten im Ganzen
das Thier gegenüber: es hat eine Zeit gegeben,
wo der Mensch die Welt kaum anders empfand.
Die erste Periode der Sprache ist die, in welcher
sich das Vermögen der Anschauung entwickelt, und
an dieser Entwickelung ist die Sprache wesentlich
betheiligt. Alles Denken ist, durch Vermittlung
der Sprache, aus der Wahrnehmung durch den
Gesichtssinn hervorgegangen. Eine eigentliche Denk-
function besteht nicht. Der Begriff ist die in Folge
tausendjähriger Gewohnheit um den Sprachlaut
vereinigte Gruppe von Empfindungserinnerungen,
welche dem Individuum überliefert, zum Theil von
ihm wiedererlebt, zum Theil auch durch hinzuge-
kommene Erlebnisse in ihm ewig verändert wird.
Nur insofern diese, die Empfindungs- und Bewegungs-
centren zugleich in Anspruch nehmende, Complication
allerdings an etwas Räumliches gebunden sein muß,
ist es noch möglich von einem Denkorgane zu reden.

 Was das Verhältniß des Thieres zum Menschen betrifft, so scheint mir der Geisteszustand

des Thieres theils zu niedrig, theils aber auch
zu hoch aufgefaßt worden zu sein. Man hat den
Vorzug des Menschen in die Vernunft gesetzt, und
in dieser nichts als ein Vermögen der Abstrac=
tion, des Allgemeinen, auch wohl des Uebersinn=
lichen gefunden, Anschauung aber den Thieren ganz
ebenso wie den Menschen zugeschrieben. Aber wenn
wir unter Anschauung — jede schulphilosophische
Anwendung des Wortes bei Seite gesetzt [111] — das
Vermögen verstehen, die sichtbaren Gestalten in
ihren Unterschieden zu erkennen, so zeigt die Sprach=
geschichte, daß selbst der Mensch dies Vermögen
nur sehr langsam entwickelt hat. Ueberhaupt ist
das was den Menschen namentlich auszeichnet, ein
gesteigertes Vermögen der Unterscheidung.
Ferner hat der Mensch, im Gegensatze gegen das
Thier, Erinnerung von ganz anderem Umfange
und auch verändertem Wesen, und im Zusammen=
hange damit ein Leben voll Bewußtsein. So groß
nun diese Gegensätze auch sind, so sind sie doch
auf der andern Seite nicht Grund genug, den
Menschen vom Thiere anders als nur graduell
verschieden aufzufassen: im Gegentheile, da sie sich

erst in der Geschichte einstellen, und deutlich von der
Sprache veranlaßt zeigen, so wird hiermit der Ueber=
gang zwischen Thier und Mensch gleichsam geschichtlich.

Bei der Beurtheilung der Intelligenz der Thiere
aus ihren Handlungen müssen wir drei ganz ver=
schiedene Quellen der wirklichen oder scheinbaren
Vernunftähnlichkeit derselben unterscheiden.

Den meisten Antheil an wahrhaft menschlicher
Vernunft haben diejenigen Thiere, die einen Theil
derselben im Umgange mit dem Menschen wirk=
lich annehmen. Dieser Antheil hat selbst wieder
einen mehrfachen Ursprung. Da die Vernunft an
das Wort gebunden ist, so ist das Hausthier,
das auf das Wort folgt, oder selbst zwischen
diesem Pflichtgebot und einem natürlichen Antriebe
seiner Begierden schwankt, in diesem Augenblick
wahrhaft vernünftig. Der Grad, bis zu welchem
einzelne begabte Hausthiere die menschliche Rede
verstehen lernen, ist wirklich erstaunlich, und viel=
leicht noch merkwürdiger die bei Hunden sichtlich
wahrnehmbare Bemühung, die an sie gerichteten
Worte zu verstehen, welche mit dem hingebenden,
der menschlichen Liebe bedürftigen Wesen dieses

Thieres zusammenhängt. Es gibt kaum ein wun-
derbareres Verhältniß auf Erden, als dieser An-
schluß des thierischen Gemüthes an den Menschen
und die Erhebung zu einer höheren Geistessphäre,
die dem Thiere hiermit zu Theil wird. Höchst
treffend und sinnvoll hat Bacon gesagt, der
Mensch sei der Gott des Hundes, sein Vertrauen
auf den Menschen sei ihm eine Art Gottver-
trauen. [112] Es scheint in der That, als ob der
Gehorsam gegen den Menschen dem Hunde Reli-
gion sei, als ob in der Hingebung, mit der
der Hund das Wort des Herrn wie eine
wahre Pflicht übt, seine Genüsse und sein Leben ihm uneigennützig opfert, und in seinem
Lob und seinem Beifall einen süßen und stolzen
Lohn findet, etwas von der Sehnsucht liege, die
das auf Erden zu einsamer Höhe gestiegene menschliche Herz zu himmlischen Idealen führt, etwas
von dem Bedürfniß der Liebe zu einem ähnlich
geglaubten oder gefühlten, sympathetisch verständ-
lichen, doch höheren Wesen. Ich halte dies so
wenig für ein bloßes Bild, daß manche Erscheinung in dem religiösen Leben der Menschheit mir

unerklärlich scheinen würde, ohne dieses sichtliche, sinn=
lichere und mehr elementarische Urbild, ohne die Erfah=
rung, daß es den niedrigeren Gattungen Bedürfniß ist,
eine höhere zu lieben, sobald dieselbe in lebendige Be=
rührung mit ihnen tritt und sich ihnen gleichsam offen=
bart; ein Bedürfniß, das das der Gattungsentwicke=
lung selbst ist, und worauf wesentlich der Zauber
beruht, den der Mensch auf die gesammte Thierwelt
ausübt, der er freilich selten als ein wohlthätiger Gott
gegenüber tritt, häufig als ein grausamer Dämon.

Das Hausthier pflegt, wie man leicht be=
obachten kann, auch an seinem Theile einige
Unterhaltung mit dem Menschen. Es knüpft das
Verhältniß mit ihm im kindlichen Alter an, wo
es in ihm seine zweite Mutter sieht, hat aber
ihm gegenüber Gelegenheit zur Aeußerung durch
Laute, wie sie ihm der Umgang mit seines Gleichen
niemals bietet. Es antwortet auf den Zuruf,
gibt auf Befehle sein Einverständniß oder seine
Unlust durch Töne, und zwar, wie ich bestimmt
bemerkt habe, durch deutlich unterschiedene zu er=
kennen; ruft seinen Herrn herbei; fordert dessen
Begleitung, und daß er ihm z. B. eine Thür

aufmache; der Hund geht so weit, seinem Herrn
durch Bellen eine nur diesen interessirende Nachricht zu geben. Ein englischer Schriftsteller hat
das Bellen des Hundes überhaupt als einen solchen
Sprechversuch bezeichnet, gestützt auf die Thatsache,
daß der Hund, wo er, wie in Amerika, in ur-
sprünglicherem Zustande aufgefunden ward, nicht
bellte. Gewiß ist, daß das Thier von dem sprechenden Menschen in Mitleidenschaft gezogen wird, daß
in geringerem Maße dasselbe mit ihm vorgeht, wie
mit dem Kinde. Was Renan von dem Verhältniß
der Taubstummen zu ihrer Umgebung gesagt hat:
„das Bewußtsein sei ansteckend", gilt in gewissem
Sinn auch von den Thieren. Besonders beachtenswerth ist hier das Sprechen der Vögel, weil diese
zur Nachahmung der Laute besonders günstig or-
ganisirt, zum Aussprechen von wirklichen Wörtern
abgerichtet werden können, und namentlich auch
wegen des bei ihnen mehr als bei den Säugethieren
vorwiegenden Gesichtssinnes, der es ihnen wohl möglich machen könnte, eine Art von Begriffsbild bei dem
gelernten Worte zu fassen, und insofern zu denken,
wenn die Dressur entsprechend eingerichtet wird.

Abgesehen von der unmittelbaren Einwirkung
des Wortes, welche dem Thiere in lichten Augen=
blicken momentane Vernunft verleihen kann, wer=
den Hausthiere begreiflicherweise auch schon fähiger
geboren, nachdem so viele vorausgegangene Gene=
rationen in der Nähe des Menschen gelebt haben.
Der Zeitpunkt, wo diese Annäherung zuerst ein=
trat, ist nicht genau zu bestimmen, aber doch noch
in gewissem Sinne historisch, und die Untersuchung
über die allmählich eintretende Steigerung der thie=
rischen Fähigkeiten wenigstens innerhalb bestimmter
Völkergebiete vielleicht noch möglich. [113]

Von dieser Sphäre ganz zu unterscheiden ist
der bloße Schein der Vernunft, der sich in den
Instincten gerade der niedrigeren Thierarten zeigt.
Man muß diese Instincte nur genauer, nach ihren
engen und fest bestimmten Kreisen, nach ihrer Un=
veränderlichkeit, selbst wo sie dadurch unzweckmäßig
werden, andererseits aber auch nach ihrer über=
raschenden Zweckmäßigkeit innerhalb ihres Kreises
betrachten, welche unmöglich Resultat der Be=
rechnung des Thieres selbst sein kann, um einzu=
sehen, daß man es hier mit etwas von der Ver=

nunft radical Verschiedenem zu thun hat. Selt=
samerweise hat gerade die materialistische Richtung
in der Naturforschung diesen Gegensatz zu ver=
wischen gesucht, und der Biene, der Ameise einen
Verstand zugeschrieben, der nicht viel weniger als
menschlich ist, aber, von solchen Principien aus,
eher übermenschlich sein müßte. Die Biene, die
ihre bewundernswerthe Zelle baut, kann unmög=
lich wissen, was sie thut, und warum sie es thut.
Die Instincte sind etwas rein Mechanisches, sie
unterscheiden sich von dem Ineinandergreifen unserer
inneren Organe zur Athmung, zum Blutumlauf,
zur Assimilation und Ernährung, zum Sehen,
Hören und endlich auch Denken, nur dadurch, daß
dort der Mechanismus nicht in eine Hülle, ein
Individuum eingeschlossen, sondern auf viele ein=
zelne unverbundene Individuen vertheilt ist. Wir
verstehen freilich einen solchen an losen Fäden neben
einander her schwirrenden Mechanismus noch nicht;
aber es fehlt auch noch viel, daß wir unsre eigene
Maschine verstünden. Wie ist unser Organismus
mit aller seiner unendlichen Zweckmäßigkeit ent=
standen? Nur seine mühsam ermittelte Geschichte

wird dereinst Auskunft über ihn geben, wie die
Geschichte der Sprache über die Zweckmäßigkeit in
ihr. Die Organismen des Bienenstaates, der
Vogelwelt haben ebenfalls ihre Geschichte; wir
werden sie wohl dereinst erfahren: aber der Ver=
nunft der Biene und des Vogels verdanken sie ihre
Entstehung so wenig, wie unser Organismus der
unsern. Die Vernunft ist in uns selbst nur etwas
Theoretisches; sie sieht uns handeln, sie handelt
nicht in uns. Was in uns handelt, ist ebenfalls
das Instinctive, das Thierische, das Mechanische;
wir können uns nur aus der thierischen Natur,
als der primitiveren, erklären, nicht umgekehrt.

Es bleibt demnach, zu wirklicher Vergleichung
mit der menschlichen Vernunft, nur die dritte Art
der Aeußerung thierischer Intelligenz übrig, die
vorzugsweise bei den höherstehenden Gattungen ge=
funden wird, welche sich selbst überlassen sind und
wenigstens nicht generationenweise unter dem Ein=
flusse des Menschen stehen. Auch hier müssen wir
uns sehr vor Mißdeutung derjenigen thierischen
Handlungen hüten, die uns zwar mit dem Thiere
gemein, aber darum bei diesem keineswegs als

menschliche und vernünftige, sondern in ihrem
Grunde auch bei uns als blind instinctive anzusehen sind. So wenig als wir eines Vernunft-
schlusses bedürfen, um Nahrung zur Stillung unsres
Hungers zu verwenden, ebensowenig beruhen die
oft sehr richtigen Bewegungen der Thiere auf
weiser Berechnung. Monboddo hat bekanntlich
den Drang-Utang von den Affen abgesondert und
unter die Menschen gerechnet. Er wurde dazu
einerseits durch unbegründete, übertreibende Nach-
richten von den Fähigkeiten und der Lebensweise
der höheren Affenarten, wie sie im vorigen Jahrhundert im Schwange waren, andererseits aber
auch durch eine unrichtige Schätzung des Verhältnisses zwischen Handlung und Bewußtsein veranlaßt. Ausgehend von der selbst im höchsten Grade
zweifelhaften Nachricht, daß der Drang-Utang sich
zum Schlagen eines Stockes bediene, berechnete
er, wie viel Voraussicht von den Wirkungen eines
festen Körpers auf einen andern, und beinahe wie
viel mechanische Kenntnisse oder Fechterkunst zu
einem solchen Verfahren nothwendig seien. „Wenn
weiter nichts mich überzeugen könnte," sagt er,

„daß der Orang-Utang zu unserer Gattung gehört, so würde sein Gebrauch des Stocks als einer Waffe allein hinreichend sein . . . Das Thier, welches ihn braucht, muß wissen, erstlich, die Natur des Holzes, daß es ein harter Körper ist; zweitens, daß jeder harte Körper, der auf einen andern Körper mit Gewalt getrieben wird, einen Eindruck macht, der diesen andern Körper sehr beschädigen oder zerstören kann; drittens, daß die Art, wie die menschliche Hand diesen Eindruck auf die kräftigste Weise machen kann, ist, wenn sie einen Stock von mäßiger Länge und gehöriger Dicke an dem einen Ende faßt, und so den Streich versetzt. Alle diese Ideen muß der Orang-Utang aus Beobachtung und Erfahrung gebildet haben, ehe er einen Stock als Angriffswaffe braucht. Ob er in der Kunst, den Stock zu handhaben, so weit gekommen sei, daß er ihn auch zur Vertheidigung und zur Abwehr der Schläge gebrauche, kann ich nicht sagen." [111]

Verführerischer ist es, manche zweckmäßige und verständige Handlungen der Thiere aus Schlüssen herzuleiten und ihnen daraufhin Schlußvermögen zu vindiciren. So soll der Papagei, wenn er eine

taube Nuß wegwirft, den Schluß machen: „alle
leichten Nüsse sind leer; diese Nuß ist leicht: also
ist sie leer." Er macht diesen Schluß keineswegs.
Die leichte Nuß ist ihm gar nicht mehr Nuß. Sie
war es für ihn nur als gehofftes Geschmacksobject.
Die Hoffnung war durch den Anblick entstanden,
sie ist durch das Gefühl verschwunden; er wirft die
Nuß weg: sie hat für ihn zu existiren aufgehört.

„Daß zwei Seiten eines Dreiecks größer sind,
als die dritte, wissen auch die Thiere," sagten
die Alten, und dieser Ausspruch ist ein augen=
fälliges Beispiel, ein bündiger Ausdruck der Ver=
wechselung zwischen mechanisch richtiger Bewegung
und mathematischem Bewußtsein. Und hier tritt
denn die Frage uns entgegen, worin ein solches
Bewußtsein eigentlich bestehe? was zwischen dem
mathematisch denkenden Menschen und dem seinen
Sprung nach Distanz und Lage überaus geschickt be=
messenden Thiere für ein Unterschied sei? Die Beant=
wortung dieser Frage erfordert eine ganze Wissenschaft.
Wenn sie geschaffen sein wird, so wird man vielleicht
einsehen, warum wir über die Grundlage unserer
Mathematik noch heute so sehr im Unklaren sind.

Wir werden, angesichts der Vorstellung, welche wir aus der Sprache über die Vernunft gewinnen, von selbst dazu gedrängt, das Geschäft einer kritischen Untersuchung der Vernunft zu erneuern.

Freilich ist es nicht eine Kritik der „reinen“ Vernunft, um die es sich hier handelt. Kant, indem er in seiner Kritik die Bedingungen der Erfahrung selbst untersuchen wollte, glaubte diese mit Hülfe der Erfahrung nicht suchen und finden zu können. Ist aber außer derselben sie zu suchen möglich? Er behandelte die Vernunft wie ein Augenglas, dessen Brechungskraft oder Farbe wir feststellen, um bei Beurtheilung der Gegenstände von ihr abstrahiren zu können. Aber die Vernunft ist kein Augenglas, das wir ablegen können, um es zuvörderst selbst zu beobachten: die Vernunft ist das Auge selber. Eine Prüfung der Vernunft durch die Erfahrung an ihr, durch ihre Geschichte, dies ist es, was unser Denken fördern wird; es ist die philosophische Aufgabe der Gegenwart.

„Es genügt nicht länger, dem Denken, diesem bewundernswerthesten aller Triebe, eine bloße Ausbildung, eine, wenn ich so sagen darf, mecha-

nische Zunahme durch ein Jahrtausende lang fort-
gesetztes Erfahren, Lernen, Entdecken und Erfinden zuzugestehen: wir dürfen uns der Ueberzeu-
guug nicht verschließen, daß die Vernunft gewachsen,
daß sie aus wesentlich andern Geisteszuständen
erst entsprungen ist, deren Spuren sie noch jetzt
in ihren Functionen aufweist, ja ohne deren
Voraussetzung, als Grund und Wurzel ihres Daseins, sie gar nicht lebensfähig wäre. Die Kritik
der Vernunft ist unmöglich, die Logik bloße Formel,
die Metaphysik haltlos, wenn sie nicht auf diesem
geschichtlichen Boden, auf der erfahrungsmäßigen
Kenntniß von dem Werden der Vernunft in einer
vormenschlichen Urzeit und ihrer Entwickelung bis
zu ihrer gegenwärtig uns bekannten Höhe ruhen."
Diese Sätze habe ich vor mehreren Jahren ausgesprochen, in Zusammenhange mit einigen gedrängten
Andeutungen über den instinctiven Hintergrund der
Vernunft, über die mechanische Grundlage der Mathematik und die Entwickelung des Geistes, sowie
der körperlichen Organismen. [115] In dieser letzteren
Hinsicht, in Betreff der Theorie der Entwickelung
im Allgemeinen, bleibt mir etwas zu sagen übrig.

Daß der Mensch aus einer niedrigeren, thie=
rischen Stufe emporgestiegen sei, hat sich mir
mit unumstößlicher Gewißheit aus historischen Be=
trachtungen ergeben. Daß der geschichtlich nach=
weisbare Schritt nicht der erste gewesen, daß die
übrigen Thierarten ihren gegenwärtigen Stand=
punkt einem ähnlichen Schicksale verdanken, läßt
die Analogie um so mehr schließen, als zwischen
geistiger und körperlich organischer Entwickelung
ein Zusammenhang und ein tiefgehender Paral=
lelismus besteht. Ich habe jedoch in der Ent=
wickelungsgeschichte der Vernunft keinen „Kampf
um das Leben" als Ursache gefunden, und glaube
auch nicht, daß die Entstehung eines körperlichen
Organismus aus diesem rein negativen Princip
jemals erklärt werden kann. Daß ein Thier das
andere verschlingt; daß es auf Kosten anderer lebt,
wird freilich niemand läugnen wollen; aber daß es
durch diesen Proceß, oder gar durch bloße Zer=
störung, durch Beseitigung der Concurrenz seinen
Gattungstypus verändere, ist nicht wohl begreiflich.
Auch scheint Darwin dieses zerstörende Element
bloß zur Erklärung des Verschwindens der Mittel=

stufen zu Hülfe genommen zu haben — wozu
dasselbe indessen nicht einmal ausreicht — während
er den positiven Fortschritt der Natur aus natürlicher Auswahl erklärt. Aber dies ist eine mystische
Vorstellung, die das eigentliche Geschehen unerklärt
läßt. Er hat mit Recht, und dies ist sein großes
Verdienst, auf die gewaltigen Veränderungen aufmerksam gemacht, der Thiere und Pflanzen durch
Züchtung unterworfen werden können. Aber statt
hieraus zu schließen, daß es auch noch andere
Ursachen geben könne, welche langsam wirkend,
aber in unendlicher Reihe aufgehäuft, Gestalt und
Art bestimmen, machte er die Natur zu einer großen
Züchterin und die letzte Wirkung der Entwickelung
gleichsam zu einem Resultate ihrer ökonomischen
Berechnung. Die Natur erscheint uns freilich weise,
ja sie überrascht uns durch eine überall aus ihr
hervortretende uns weit überlegene Vernunft. Aber
die Natur harmonirt mit unserer Vernunft und
übertrifft sie, nicht weil die Natur vernünftig,
nicht weil sie vernunftgemäß, sondern weil die
Vernunft natürlich, aus der Natur und ihr gemäß
entwickelt ist.

Das Princip, wonach Natur und Vernunft sich entwickeln, ist Differenziirung und der durch sie in Wirksamkeit tretende und immer mächtiger anwachsende Zufall. Die Erlebnisse, die sich zufällig an ein Wort schließen, modificiren seinen Begriffsgehalt: die Erlebnisse eines organischen Wesens modificiren seine Form. Der Begriff lebt fort und modificirt sich beständig; das Organische in seinen Folgegeschlechtern ebenfalls. Und so wie es nicht fehlen kann, daß der Mensch stets Neues erlebt und so den Inhalt seiner Begriffe immer steigert, so muß auch die Natur in wechselseitigem Contact sich immer mannichfaltiger gestalten. Innerhalb eines Organismus wiederholt, ist diese Differenziirung die Vervollkommnung selbst, wie steigende Unterscheidung die Vervollkommnung der Vernunft ist. Der ganze Vorgang der Entwickelung des Körpers, wie des Geistes, ist nur die Fortsetzung des individuellen Wachsthums durch die Jahrtausende.

Auch Demokrit und Epikur haben die bestehende Gestalt der Welt als ein Resultat des zufälligen Zusammentreffens der Atome erklärt. Aber wenn man die wunderbaren Wesen betrachtet, die die

Natur wirklich bietet, wenn man auf die unzähligen Einzelheiten sieht, die zur Bildung eines einzigen Auges oder Ohres zusammenstimmen müssen, und die unergründliche Trefflichkeit der Natur erwägt, wobei jedes Menschenwerk als stümperhaft zurückbleibt, indem der Mensch nichts schaffen kann, was dem Stachel der Biene oder dem Gewebe der Spinne an regelmäßiger Feinheit, oder dem Pelze der Thiere an Zweckmäßigkeit zur Bekleidung gleichkommt: kann man da an eine zufällige Entstehung glauben? Könnte man nicht eben so gut — um ein oft angewendetes Bild zu gebrauchen — von einem dichterischen Kunstwerke glauben, daß es durch zufällige Begegnung der in ihm vorkommenden Buchstaben entstanden sei? Und haben wir nicht in der Wahrscheinlichkeitsrechnung heute sogar ein Mittel, die Größe der Ungeheuerlichkeit zu berechnen, die in einem solchen Glauben liegt?

Allerdings waren diese Einwürfe gerechtfertigt, solange sie einer Lehre gegenüberstanden, die zwar den Einfluß des Zufalls auf die Weltschöpfung erkannte, aber zwei Elemente gänzlich außer Betracht ließ, ohne welche es keine zweckmäßige, d. h. keine

lebendige Welt geben kann. Das erste Element ist
das der Zeit, der Succession. Ein plötzliches Zu=
sammenstoßen der Atome in dem Augenblicke der
ersten Katastrophe könnte nur Wesen bilden, die
sich ewig gleich bleiben, nicht solche, die sich ent=
wickeln. Oder waren solche Gebilde vielleicht nicht
von Dauer? Unterlagen sie einem Andrang von
außen, einem gegenseitigen Andrang? Nun wohl,
dann mußte erfolgen, was wirklich erfolgt, eine
beständige Zerstörung und Neubildung. Nehmen
wir aber an, daß inmitten dieser Auflösungen sich
ein fester Kern bildet, der sich ins Gleichgewicht
setzt und dauernd behauptet, der das Andringende,
noch Unausgeglichene zu diesem Gleichgewichte heran=
zieht, der nur das in sich aufnimmt, was sein
Gleichgewicht nicht zerstört, und auf diese Weise
immer mehr in sich aufnimmt und immer mehr
mit sich ausgleicht: was würde dies anders sein,
als Assimilation, Wachsthum, Entwickelung? Sehen
wir nun ab von der Katastrophe, die die Dinge
auf einmal geschaffen, und sie unter beständigen
Veränderungen doch immer auf derselben Höhe
erhalten, oder, einmal zerstört, in gleicher Voll=

kommenheit oder Unvollkommenheit wieder hergestellt hätte; und lassen wir, ich sage nicht die
Welt, aber die ersten ternären Verbindungen, die
ersten organischen Keime auf Erden, oder vielmehr
im Wasser, durch kosmische Einflüsse entstehen: so
ist die Mehrheit solcher an sich ganz gleichen Keime
schon die Bürgschaft ihrer Vermannigfachung, und
ihre bloße Daner, nebst der Fortdauer der sie
schaffenden Einflüsse, Bürgschaft ihrer Entwickelung
und Vervollkommnung, so gewiß als die Eisnadel
in der Mitte des Wassers unter Fortdauer der
Temperatur, die sie gebildet, immer weitere Eis=
krystalle um sich versammelt. Nicht jedes Zusammen=
treffen der Dinge wirkt schöpferisch, sondern nur
das, welches mit den Bedingungen des Gleich=
gewichtes übereinstimmt.   Daß nun Wesen zu
so künstlichen Verhältnissen, zu so zusammenge=
setzten Mechanismen in einem einzigen Augenblicke,
auf einmal und plötzlich durch Zufall zusammen=
treffen sollten, ist freilich undenkbar; es bedarf hier=
zu einer gewaltigen Succession, ebenso zusammen=
gesetzt aus Zeit, wie das zusammengesetzte Wesen aus
harmonisch in sein Dasein aufgenommenen Elementen.

Der Urzustand der Dinge kann nicht
Ruhe sein; denn es ist nicht begreiflich, wie
aus ihr die Bewegung hätte entstehen können.
Umgekehrt erklärt sich aus der Bewegung sehr
leicht die Ruhe: Bewegungskräfte, die sich aus=
gleichen, bringen sie jederzeit hervor.

Aber aus bloßen Bewegungen ist die Welt
nicht zusammengesetzt, in der wir leben. Es gibt
noch etwas Anderes, welches Demokrit und Epikur,
die Gründer der materialistischen Weltanschauung,
nicht anerkannten. Alles, was wir durch die Sinne
wahrnehmen, läßt sich auf Bewegungen zurück=
führen: der Schmerz, die Wärme, das Licht, der
Schall. Daß nun die Sterne scheinen, das Wasser
fließt, Menschen und Thiere sich bewegen, das
nehmen wir durch die Sinne wahr. Aber wieso.
wissen wir, daß die Sterne und das Wasser nicht
empfinden, die Thiere aber empfinden? Sie haben
Nerven; aber wieso wissen wir, daß Nerven empfin=
den? Mit unsern Sinnen können wir es nicht wahr=
nehmen: wie sehr wären wir getäuscht, wenn wir
von dem Thiere nichts wüßten, nichts glaubten,
als was wir mit den Sinnen an ihm wahrnehmen!

Es würde sich in nichts von einem Automaten unterscheiden, der sich nur ganz ebenso und unter denselben Bedingungen bewegte. Nur unsere Sympathie, unser Mitempfinden mit dem zuckenden Thiere verräth uns, daß noch etwas hinter der Bewegung vorhanden ist, was nicht wahrgenommen werden kann, was die Bewegung begleitet: die Empfindung. Die Empfindung allein ist etwas, was nie und nimmer auf Bewegung reducirt werden kann. Sie gehört zu einem ganz andern Bereiche: die Bewegung kann wahrgenommen, empfunden werden, die Empfindung nur mitempfunden.

Wenn ein körperlicher Gegenstand von so kleinem Umfange ist, daß unsere Sinne ihn nicht wahrnehmen, oder wenn er überhaupt nicht mit unsern Nerven in Berührung tritt; wenn er sich nicht so bewegt, wie es nöthig ist, damit unsere Nerven afficirt werden; wenn er nicht in unmittelbarer Nähe greifbar ist, auch nicht so schwingt, wie er müßte, um Wärme, Licht, Schall zu erzeugen: so wissen wir nichts von ihm. Aber darum kann er doch vorhanden sein; wir können sogar im Stande sein, auf seine Existenz zu schließen.

Wir können annehmen, daß die Luft, daß ein unsichtbares Gas aus kleinen, uns unsichtbaren Kügelchen, aus gestalteten Atomen besteht.

Wie aber, wenn die Empfindung eines Wesens sich uns auf dieselbe Weise entzöge? Wir verstehen den Schmerzensschrei der Lebendigen; aber nicht Alles was lebt ist desselben fähig. Wir verstehen auch das Zucken des Fisches, des Insectes. Aber wie, wenn weiter hinab, wenn jenseits der Nerven= welt eine Empfindung vorhanden wäre, die wir nicht mehr verstehen? Und es muß wohl so sein. Denn so wenig wie ein Körper möglich wäre, den wir fühlen, ohne daß er aus Atomen be= stünde, die wir nicht fühlen; und so wenig wir eine Bewegung sehen könnten, wenn sie nicht von Lichtwellen begleitet wäre, die wir nicht sehen: ebensowenig würde in einem complicirten leben= digen Wesen eine Empfindung zu Stande kommen können, so stark, daß wir sie in Folge der Be= wegung, durch die sie sich äußert, mitempfinden, wenn nicht in den Elementen, in den Atomen etwas Aehnliches, nur weit Schwächeres vor sich ginge, was sich uns entzieht. Man bedenke nur,

.daß wir ebensowenig wissen können, daß der fallende Stein nichts empfindet, als daß er empfindet: es steht uns also die Entscheidung nach der Seite der größeren Wahrscheinlichkeit, der Erklärlichkeit des Weltganzen, völlig offen.

Das Letzte, was von dem Innern der Dinge, gleichsam von ihrer Seele, von uns erkannt werden kann, ist die Empfindung der Thiere. Für jede elementarere Seelenregung fehlt uns Vorstellung und Namen. Aber aufwärts steigend können wir das Denken in Elementarkräfte zerlegen, wie die körperlichen, sinnlich wahrnehmbaren Vorgänge in mechanische, physische, chemische Bewegungen. Die Elementarkräfte der menschlichen Seele, aus denen auch das Denken besteht, sind Empfindungen. Und wenn es uns gestattet ist, den Namen Empfindung auch für jenes einfachste, vorausgesetzte Element zu gebrauchen, für das, was im Innersten des fallenden Steines, des angezogenen Sauerstoffatomes vor sich geht, und auch dieses Empfindung zu nennen, so können wir sagen: die Welt ist Bewegung und Empfindung; Bewegung ist eines jeden Dinges Aeußeres, sein Inneres Empfindung.

Anmerkungen.

I.

[1] (S. 4.) Hermes, or a philosophical inquiry concerning universal grammar by James Harris, London, 1751, book III, ch. 3.

[2] (S. 11.) Herder's Werke, Tübingen 1806, II. S. 46 ff. (nach der zweiten Auflage von 1789; die Preisschrift „über den Ursprung der Sprache" ist aus dem Jahre 1770). — Rousseau, dessen Anschauungen von Herder durchaus nicht richtig gewürdigt werden, spricht sich mit tiefem Gefühl des in der Sprache verborgenen Wunders über das Dilemma der wechselseitigen Bedingung von Sprache und Vernunft aus: „Franchissons pour un moment l'espace immense qui dut se trouver entre le pur état de nature et le besoin des langues, et cherchons, en les supposant nécessaires, comment elles purent commencer à s'établir. Nouvelle difficulté pire encore que la précédente; car si les hommes ont eu besoin de la parole pour apprendre à penser, ils ont eu bien plus besoin encore de savoir penser pour trouver l'art de la parole; et quand on comprendrait comment les sons de la voix ont été pris pour les interprètes conventionnels de nos idées, il resterait toujours à savoir quels ont pu être les interprètes mêmes de cette convention pour les idées qui.

n'ayant point un objet sensible, ne pouvaient s'indiquer
ni par le geste, ni par la voix, de sorte qu'à peine
peut-on former des conjectures supportables sur la nais-
sance de cet art de communiquer ses pensées et d'établir un commerce entre les esprits." (Disc. sur l'orig. etc.)

[3] (S. 11.) Laurenz Lersch, die Sprachphilosophie der
Alten, Bonn 1838—41. III. S. 51.

[4] S. 13.) Ueber die Kawisprache, Berlin 1836, Einleitung, S. XCIV. ff.

[5] (S. 17. Vgl. A. Kuhn „Zur ältesten Geschichte der
indogermanischen Völker" Berlin 1854 (Programm des Real-
gymnasiums). Max Müller. „On comparative mythology"
(Oxford Essays 1856) und die Arbeiten von Schleicher,
Pictet, Förstemann, Benfey u. A. über diesen Gegenstand.

[6] (S. 17.) S. Grimm, deutsche Grammatik II. 516.

[7] (S. 20.) Jaska's Nirukta, herausgegeben und er-
läutert von Rudolph Roth, Göttingen 1852, S. 35 des
Textes und S. 9 der Erläuterungen. Max Müller's history
of ancient Sanscrit literature, London 1859 p. 163—169.

[8] (S. 21.) l. c. p. 166. Vgl. zur Erklärung dieses
Ausspruches auch unten Anm. 110.

[9] (S. 22.) Abulvalid ließ sich zwar von allgemein
philosophischen Anschauungen, namentlich über den Gegensatz
von Substanz und Accidens, bestimmen, Substantiva, die concrete Gegenstände bezeichnen, für primitiv, und bei den Verbalwurzeln den Infinitivbegriff für den ältesten zu halten; diese
speculativen Irrthümer übten jedoch auf seine und seiner Nachfolger Methode keinen Einfluß, sowenig wie auf die moderne
Sprachwissenschaft die Unklarheit, die über das vermeintlich
transscendentale Wesen der Wurzeln bis auf die neueste Zeit
geherrscht hat, wonach sie bloße Abstractionen sein sollten.

10 (S. 32.) Wir verdanken die Kenntniß dieser interessanten Schrift dem Sammlerfleiße Goldberg's, der sie in der Bodlejanischen Bibliothek abgeschrieben und im Jahre 1857 zu Paris mit Prof. Barges herausgegeben hat.

11 (S. 23.) Z. B. S. 80. 102 u. ö. S. 98 führt er unter den Beweisen der Lautverwandtschaft die dreifache Lesart zirâfa, kirâfa, zirâfu aus Sura I an. Vgl. über dieses dem lateinischen strutu entlehnte Wort Sprenger „das Leben und die Lehre des Mohammad" (2. A. Berlin 1869, II. 63. Ursprung und Entw. d. Spr. u. Vern. S. 285.

12 (S. 26.) Pott, etymologische Forschungen, zweite Auflage II. 1. S. 73 ff. Er bemerkt, daß auch bei Varro die Zahl der Urwörter der lateinischen Sprache auf tausend geschätzt wird. (Von Cosconius, Varr. l. L. VI. §. 35 sqq.).

13 (S. 29.) A. a. O. S. 88.

14 (S. 30.) Vgl. Grimm, deutsche Mythologie, zweite Ausg. Gött. 1844, S. 162.

15 (S. 31.) H. Steinthal, Charakteristik der hauptsächlichsten Typen des Sprachbaues, Berlin 1860, S. 84.

16 (S. 33.) Ernest Rénan, de l'origine du langage, 4me éd. Paris 1864, p. 52.

17 (S. 34.) Heyse, System der Sprachwissenschaft, herausgeg. von Steinthal, Berlin 1856 S. 72 f.

18 (S. 34.) Ebend. S. 81.

19 (S. 43.) Th. Benfey, „Ueber die Aufgabe des platonischen Dialogs: Kratylos." Abh. der k. Ges. der Wiss. zu Göttingen 1866. S. 19. Benfey nennt die erste der von ihm unterschiedenen vier Richtungen (die mir übrigens nicht erschöpfend und überhaupt nicht zutreffend scheinen) die naturwissenschaftliche; aber die vergleichende Sprachforschung könnte mit demselben Rechte so heißen, und außer

dem hat die Sprache auch noch in der Physiologie der Laut
bildung ihre speciell der Naturwissenschaft wirklich angehörige
Seite. Des gelehrten Verfassers eigene Anschauungen über
das Verhältniß von Laut und Begriff gehen einigermaßen
aus einer Stelle derselben Abhandlung (S. 290 f.) hervor,
wo er bemerkt, daß, wenn Plato seine Hypothese von einem
begrifflichen Werth der Laute nur auf die Grundformen der Wurzeln oder vielmehr Verba wie *i* gehen, *ǫv*
fließen, *da* geben, *ex* halten, beschränkt hätte, dies solche
Fälle sein würden, auf welche besonnenere Forscher, die die
Anfänge der Sprache erklären zu können glauben, diese Hypothese auch jetzt noch für anwendbar halten. Er fügt hinzu:
„Ja selbst diejenigen, welche es nicht wagen, die Anfänge
der menschlichen Geistesentwicklung historisch erklären zu
wollen, können doch nicht umhin, anzuerkennen, daß die
Anfänge der Sprache, wenigstens theilweise, von einem
naturbedingten Verhältniß zwischen Laut und
Ding (Begriff) beeinflußt gewesen sein müssen, mögen
sie sich auch scheuen, dasselbe näher zu bestimmen, oder gar,
wie der Verfasser dieses Dialogs, einzig aus der Lautbil-
dung zu erklären, und selbst in unsern den Sprachanfängen
so unendlich fern liegenden Sprachen nachweisen zu wollen."
Man sieht, daß Bensey, wenn auch in der allervorsichtigsten
und zurückhaltendsten Weise, sich doch im Grunde ebenfalls
für die Theorie der Physis in der unbestimmten Form ausspricht, in der sie sich überhaupt der, allerdings platonischen,
Gunst der modernen Wissenschaft allgemein erfreut.

[20] (S. 44.) A. a. O. II. 1 S. 256. 259. 260.

[21] (S. 44.) Ebend. S. 260 aus Lepsius Paläographie S. 21.

[22] (S. 46.) August Schleicher, die deutsche Sprache,
Stuttgart 1860. S. 44 u. 37. Ders. in Beitr. I. S. 5 f.

II.

[20] (S. 48.) Procl. zu Plat. Crat. §. 7 bei Lersch I. 14. Es ist kein Grund vorhanden, die Ueberlieferung des Proklos, welche durch die drei unzweifelhaft ächten Kunstausdrücke Demokrit's: πολύσημον, ἰσόῤῥοπον, νώνυμον unterstützt ist, in wesentlichen Punkten anzufechten, wie Steinthal thut (Geschichte der Sprachwissenschaft bei den Griechen und Römern, Berlin 1863 S. 173 ff.). Nur muß man bei dem vierten Beweisgrunde lesen: „ἐκ δὲ τῆς τῶν ὀνομάτων ἐλλείψεως" (anstatt ὁμοίων), was dann dem νώνυμον völlig entspricht. Daß es Dinge gebe, für die die Namen fehlen, ist ein Gedanke, der einem Manne nicht fern liegen konnte, welcher metaphysischen Wesen, dem Leeren und den Atomen, in höherem Sinne als Gegenständen der sinnlichen Anschauung Existenz zuschrieb, und von welchem uns der Ausspruch aufbewahrt ist, „μὴ μᾶλλον τὸ δὲν ἢ τὸ μηδὲν εἶναι, das Ichts sei nicht wirklicher als das Nichts." Aristoteles nennt das Namenlose ἀνώνυμον, und sagt (Eth. Nicom. II, 7), daß es Vieles dergleichen gebe. Dahin gehört ihm z. B., was für uns besonders merkwürdig ist, das Mittlere zwischen schlecht und gut (Metaph. VIII, 6. Eth. Nic. IV, 10; bei Lersch III, 37, wo auch noch andere Stellen gesammelt sind).

[21] (S. 51.) Diese bis jetzt herrschende Ansicht, der ein wirklicher Kenner der Sprache, ohne die in dem vorliegenden Buche ausgeführte Erklärung, auch in der That nicht wird entgehen können, findet sich sehr deutlich und unumwunden z. B. in Heyse's „System der Sprachwissenschaft" ausgesprochen. Heyse nennt die historische Entwickelung

der Sprache geradezu eine Desorganisirung. Er sagt darüber u. A. Folgendes (S. 200): „In der Ursprache ist
alles organisch, d. i. völlige Durchdringung von Laut und
Begriff. Kein Laut ohne Bedeutung: keine Vorstellung oder
Denkbestimmung ohne entsprechenden Laut... Wenn wir aber
auch in den ältesten uns bekannten Sprachen schon rein
phonetische Elemente (bloß euphonische Laute) finden, so ist
dies ein Beweis, daß auch diese Sprachen den Standpunkt
der Ursprache bereits überschritten haben und sich schon in
dem ersten Stadium der Desorganisirung befinden. Nach
diesem Princip der organischen Einheit von Laut und Begriff kann mithin auch jede Wurzel für einen und denselben
sprachschaffenden Menschenstamm nur einen Sinn haben;
mehrdeutige Wurzeln sind undeutbar. Dem scheint zu wider-
sprechen, daß wir im Chinesischen und auch im Sanskrit
eine Menge Wurzeln finden, denen bei lautlicher Identität
ganz verschiedene Bedeutungen beigelegt werden." Heyse
versucht nun, diese von ihm für scheinbar gehaltene Mehrdeutigkeit als eine Folge der „Desorganisirung", der „Auflösung des ursprünglichen Sprachorganismus" zu erklären,
und fährt dann fort: „Solche Desorganisirung zeigt sich
allerdings auch schon in den Stammsprachen, sobald sie sich
von der Ursprache trennen; doch nur in einzelnen Erscheinungen, und sind also sorgfältig von der positiven, organischen Fortbildung zu unterscheiden, die in den einzelnen
Stammsprachen, unabhängig von der Ursprache, stattfindet...
Daneben aber zeigen sich schon in den ältesten Stammsprachen auch unorganische Abweichungen vom Urtypus,
nämlich Lautabänderungen ohne begriffliche Bedeutung."
Diese Sätze enthalten die beste Kritik der ganzen Theorie,
und wenn der Verfasser die Summe seiner Darstellung mit

den Worten zieht: „So sehen wir durch den ganzen Zeitraum ihres geschichtlichen Lebens die Sprachen in einem Zustande allmählicher Auflösung und Zerrüttung" — hat man
damit nicht das Recht zu fragen, worauf denn überhaupt die
Hypothese von einem Zustande der Sprache begründet werden soll, von dem der ganze Zeitraum ihres geschichtlichen
Lebens eingestandenermaßen das Gegentheil zeigt?

²⁵ (S. 54.) Eine Analogie für den Zusammenhang
der Begriffe sitzen und springen bietet das arabische
vattaba, springen, aber in dem himjaritischen Dialecte
sich setzen. Bekannt ist (aus Dschauhari, Kamus, Sujjuti),
wie ein Araber auf die Aufforderung des Himjaritenkönigs,
sich zu setzen („thib"), sprang. Die factitive Form bedeutet:
sitzen heißen; die Ableitungen der Wurzel vertheilen sich
zwischen Sprung und Sitz. Das entsprechende hebräische
jaschab heißt sitzen, sich niederlassen. — Vielleicht ist
der Zusammenhang zwischen salio, springen, und dem
Stamme sul in consul, praesul, exul, nebst consulo,
consilium u. s. w. auf ähnliche Weise zu erklären, so daß
also consilium etwa συνέδριον, consessus, Rathsitzung;
praesul, der „Vorsitzende," praeses; exilium, die Nieder-
lassung außer Landes wäre. Man vergleiche das gothische
saljan, einkehren, verweilen, und seine Verwandten.

²⁶ (S. 55.) S. Weigand's deutsches Wörterb. u. d. W.

²⁷ (S. 57.) Teutsche Mythologie, 2. Ausg. S. 13⁸.
687. 905 ff.

²⁸ (S. 59.) Kriselus ist aus kareus entstanden, calvus
aus carvus, wie dnus aus arsnus. Da dem letzteren
Worte im Griechischen ὄρρος entspricht, so gehört κιρρός,
gelblich, ohne Zweifel ebenso zu den angeführten Farbenwörtern. S. u. Anm. 91.

²⁹ (S. 59.) Vgl. Grimm's Wörterbuch s. v. bellen. Oder sollte dieses schwedische akalla zu schelten gehören?

³⁰ (S. 62.) Ebend. s. v. Fell.

³¹ (S. 64.) Die letztere Stelle, aus Fridant's Be-scheidenheit („er enwil niht tuon wan slehtes“) ist an-geführt von M. Müller (Vorlesungen, 2. Serie, VI. Anm. 7, S. 235 und 553 der deutschen Uebersetzung); die aus Luther von Weigand, Wörterbuch der deutschen Sy-nonymen (Mainz 1843) No. 1644, Anm. 1.

³² (S. 68.) Ueber Eigenschaft s. Wilh. Müller, Mittelhochdeutsches Wörterbuch. Die Bedeutung „Eigen-thum“ ist die gewöhnliche, demnächst bedeutet das Wort auch Hörigkeit, Leibeigenschaft; der Uebergang zu der gegenwär-tigen Bedeutung vermittelt sich durch die seltenere Bedeutung „Eigenthümlichkeit“. Ueber Eigenthum s. Grimm, d. Wb.

³³ (S. 69.) Die gothische Endung nassus ist eigentlich aus assus und einem vorausgehenden Suffix n zusammen-gesetzt, kommt aber nur in usnassus, Ueberfluß, ohne dies n vor. In den slavischen Sprachen entsteht nostj auf die-selbe Weise aus der Verbindung der beiden Suffixe n und ostj. Darf daher assus aus ursprünglichem astus oder astius erklärt, und mit der slavischen gleichbedeutenden Endung identificirt werden? Im Litthauischen entsprechen die Endungen astis, estis, yste, z. B. rimastis, Ruhe, gywastis, Leben, lukestis, Hoffnung, smertelnyste, Sterb-lichkeit (von smertelnas, sterblich), vgl. Pott, Etym. For-schungen 1. Ausg. II, 544.

³⁴ (S. 69.) Vgl. Ursprung und Entw. d. Spr. u. V. S. 430. 442. Vielleicht haben wir in der seltsamen gothi-schen Endung ubni oder usni (fem.: fraistubni, Versuchung, vundufni, Wunde; neutr.: vitubni, Kenntniß, fastubni,

Bewahrung, Faßen, vnklufni, Gewalt, Macht; auch semi-
fn-tulmju. Bewahrung) das im Gothischen vermißte ung
selbst vor uns. Die muthmaßliche Grundform nkva oder
nkvja konnte nach Verwandlung von kv in gothisches f. die
nichts Auffallendes hat (vgl. vrika. vulfs; aequus. ibus)
durch Umstellung leicht zu fni werden; der Vokal u erklärt
sich durch Einwirkung des labialen f, wenn man nicht einen
Rest des ursprünglichen v darin suchen will. — Sollte wohl
gar auch in der Adverbialendung hs dasselbe proteusartig
in so vielen Formen auftretende ane, ähnlich wie die eben
besprochene Substantivendung verwandelt, zu suchen sein?
Der Bedeutung nach steht die Sanskritendung ak nahe
genug; das auslautende a (nach den von Westphal festge-
stellten gothischen Auslautgesetzen vielleicht ans At zu erklären) hat die Verwandlung des f in h bewirkt. Auch in
den lateinischen Adjectivendungen ax, ox haben wir ohne
Zweifel nur wieder dasselbe Suffix ans zu erkennen.

³⁵ (S. 70.) Vgl. Schleicher, Compendium der vergleichenden Grammatik der indog. Sprachen. Weimar 1862. II. 218.

³⁶ (S. 78.) Philosophie der Mythologie, Einleitung
S. 52, angeführt von Steinthal, Ursprung der Sprache,
2. Ausg. Berlin 1858. S. 86.

³⁷ (S. 79.) Die Folgerungen bleiben natürlich ganz dieselben, wenn man vorziehen sollte, auch ὀδών zunächst aus
odons zu erklären, oder wenn man zwar ὀδών aus odont erklärt, aber annimmt, daß die Verwandlung von ont in ωn
ariohellenisch, und der auch im Sanskrit schon ausgebildeten
Vermeidung von auslautendem nt gemäß vollzogen sei.

³⁹ (S. 80.) Unser neuhochdeutsches au entspricht bekanntlich mehreren, insbesondere zwei im Mittelhochdeutschen
und in allen Dialecten scharf geschiedenen Lauten. Mittel-

hochdeutſchem und gothiſchem û entſpricht au z. B. in Bau,
faul, Gaul, Maul, kaum, Raum, Daum, Gaum,
braun, Zaun, Mauer, Staub, auf, Strauch, tauchen, Haut, laul, Haus u. ſ. w. Dagegen mittelhoch-
deutſchem ou (gothiſch au) in Frau, Baum, Zaum, Traum,
Laub, Glauben, laufen, Auge, taugen, auch u. a.
Im Niederdeutſchen entſpricht dem Mittelhochdeutſchen û
ebenfalls û, dem mittelhochdeutſchen ou dagegen ô, z. B.
rûm, Raum, aber drôm, Traum, ôge, aber ôge. Der-
ſelbe Gegenſatz findet bei ei ſtatt, worin mittelhochdeutſches
î und ei (gothiſch ai) zuſammengefallen ſind. Das Nieder-
deutſche hat ê für mittelhochdeutſches ei, und erhält urſprüng-
liches î, z. B. wîn und ſtên (engl. wine, stone), mîn
und gemên. Vgl. Grimm, d. Gramm. 3. Ausg. Göttingen
1840. I. S. 224, 225 (wo „weiß, albus,“ Zeile 7 v. u. Irrthum iſt). Die urſprünglichen Diphthongen, die im Gothi-
ſchen au, ai, im Mittelhochdeutſchen ou, ei lauten, ſind
es, die in gewiſſen ſüddeutſchen Dialecten in a übergehen,
während au dem urſprünglichen û, ei dem urſprünglichen i
vorbehalten bleibt. In Frankfurt z. B. bleibt das ei von
Wein, mein, ſchreiben, reißen, ich bin weiß (engl.
white) unverändert, in Stein, gemein, meinen, heim,
ich weiß u. ſ. w. geht es in a über.

⁵⁵ (S. 141.) Merkwürdige Beiſpiele, wie Lautgewohnheiten im Laufe der Zeit verſchwinden und in ihr volles
Gegentheil übergehen können, bietet das Gothiſche, welches,
wie Weſtphal nachgewieſen hat, dereinſt conſonantiſche Aus-
laute faſt ganz vermied, und dieſer Neigung zu Liebe Hülfs-
vocale an den Wortauslaut ſetzte, in einem ſpäteren Stadium aber (vermuthlich unter Einfluß von Accentwechſel)
ſelbſt urſprüngliche Vocale der Endſilbe ausfallen ließ, und

nun in Folge davon auslautende Consonantengruppen von ganz auffallender Härte aufweist. Ueberhaupt lassen sich hinter den bestehenden Lautgesetzen einer Sprache stets Reste von untergegangenen finden, die einer ganz andern Strömung oder Schichtung angehört haben müssen.

⁴⁰ (S. 82.) Litth. genteres. Daneken sanskr. jantraṇī. der Gattin jüngere Schwester (Hem. 335). — S. auch Pott, I. A. I. 134. II. 208. 261 f. Benfen, gr. Wurzell. II. 199 ff. I. 680. Graßmann, Zeitschr. XI. 12 ff.

⁴¹ (S. 82.) Die Zusammenstellung würde nur dann unstatthaft sein, wenn Curtius (Grundzüge der gr. Et. 2. Aufl. Leipzig 1866, S. 48) Recht hätte, den Zusammenhang von γαμβρός und γάμος, sowie dieser Wörter mit der Wurzel dam zu bestreiten. Aber gener und darum auch γαμβρός von gen (genus u. s. w.) abzuleiten, ist ganz unzulässig. In gener ist zwar kein Grund der Verwandlung des m in n. wohl aber in der Grundform gemrus, woraus zunächst genrus wurde und erst zuletzt gener, wie Alexander aus Ἀλέξανδρος, hexameter aus ἑξάμετρος. C.'s Behauptung: „im Griechischen ist die Entstehung eines γ aus δ beispiellos," wird wenigstens in dieser Allgemeinheit durch γλυκύς (das ebend. S. 321 unrichtig erklärt ist, vgl. Urspr. und Entw. d. Spr. S. 409) und wohl auch γλῶσσα widerlegt. Auch daß das palatale g ein specifisch indischer, kein indogermanischer Laut sei, muß nach Urspr. und Entw. d. Spr. S. 433 berichtigt werden. Curtius läßt geminus ganz außer Betracht, das unmöglich von janna und dem ursprünglich gleichbedeutenden jamuna getrennt werden kann. Ob wir mit Graßmann djam als Grundform für dam, jam und gam (gjam) auf stellen oder den g-Laut für ursprünglicher halten, jedenfalls

scheint mir ein Zusammenhang jener drei Formen unabweisbar, wobei ja nicht zu vergessen ist, daß man die Selbständigkeit einzelner Wörter nicht durch Statuirung beliebiger Grundbegriffe, z. B. erzeugen für geminus (Pott, Etym. Forsch. 1. A. I, 262), herstellen darf.

42 (S. 83.) Vgl. Curtius a. a. O. S. 211, der sich jedoch gegen diese Ableitung von δῆμος erklärt.

43 (S. 85.) Pott, Etym. Forschungen 1. Ausg. I, 251.

44 (S. 85.) Σοφοκλῆς δὲ τὸ ἔμπαλιν· εἶπε γὰρ πενθερὸν τὸν γαμβρὸν ἐν Ἰφιγενείᾳ· Ὀδυσσεὺς φησι πρὸς Κλυταιμνήστραν περὶ Ἀχιλλέως· σύ δ᾽ ὦ μεγίστων τυγχάνουσα πενθερῶν, ἀντὶ γαμβρῶν. Phot. et Suid. lex. s. v. πενθερά.

45 (S. 85.) Eur. Andr. 642. Hipp. 635, cf. Phot. et Suid. s. v. πενθερά. Pollux (III, 31) stellt einen ganz andern Unterschied zwischen γαμβρός und πενθερός auf, indem ersteres einen Verwandten des Mannes, letzteres einen der Frau bezeichnen soll, fügt aber hinzu: „εἰ καὶ συγκεχύκασιν οἱ ποιηταὶ τὰ ὀνόματα τὴν χρῆσιν μεταβαλόντες. Σαπφῶ μέντοι καὶ τὸν ἄνδρα αὐτὸν γαμβρὸν καλεῖ."

46 (S. 86.) Vgl. Urspr. und Entw. d. m. S. u. R. S. 410.

47 (S. 86.) Zu caterva gehört auch caterus, Haufe, das ich, bei der Gleichheit des Suffixes mit acervus, nicht für ein Fremdwort halte. Man könnte an einen Zusammenhang von κάσις mit κατά denken; aber man darf κατά schwerlich von dem gleichbedeutenden russischen ko trennen.

48 (S. 86.) Benfey im griechischen Wurzellexicon (II, 56) hatte ἀ-νεψιός erklärt: „der mit einem Andern Neffe ist"; in einer späteren Abhandlung (Or. und Occ. I, 234) deutet er ἀνεψιοί, dem Gebrauch des Wortes nicht entsprechend,

„welche Kinder von Nichten (eines Mannes oder einer Frau)
sind." Die ältere Bedeutung des Grundwortes ist aber ohne
Zweifel Enkel, schon wegen der größeren Einfachheit des
Verhältnisses, wie auch Onkel, avunculus, von avus, Großvater, erst abgeleitet ist, und Vetter aus der Bedeutung
„Oheim" herabsinkt; M. Müller's und Ebel's Erklärung
(vgl. Curtius, Grundzüge) „Mitenkel", Enkel eines und des
selben Mannes, ist daher gewiß die richtige. Dies geht
auch aus der Analogie von σύγγαμβροι, ὁμόγαμβροι,
Gatten von Schwestern (Poll. III, 32), also Eines Mannes
Schwiegersöhne, sowie dem unten zu besprechenden συννυ-
μφοι hervor: wie denn εἰνατέρες selbst, das durch das
letztere Wort erklärt wird, auf demselben Benennungsgrunde
beruht. Der gleiche Verwandtschaftsgrad wie σύγγαμβροι
heißt nach Pollux bei Dichtern auch εἰλίονες, wofür bekanntlich außerdem ἀέλιοι, αἰέλιοι überliefert wird. Pott
(Et. F. 1. Aufl. S. 131) hat hiefür auf das sanskritische
çjâla oder sjâla, Bruder der Gattin, hingewiesen. Wahrscheinlich ist ά-σιελιοι als Grundform anzunehmen; das
Femininum jenes sjâla ist sjâlî, Schwester der Gattin, und
ά-ελι-οι, ά-ιελι-οι, wären demnach „die zusammen (d. i.
wechselseitig) Schwestern der Gattinnen (zu Frauen) haben."

⁴⁹ (S. 87.) Vgl. die reiche Sammlung der hierher gehörigen Worte in Diefenbach's gothischem Wörterbuch II, S. 111.
Ueber Nichte s. Weigand, deutsches Wörterb., über neptis
und nithjis Benfey Gr. und Occ. I, 214, wo nithjis aus
„nithjis" erklärt wird. Doch nimmt Benfey im gr. W.
(II, 184) „verehren" als Grundbedeutung von napiri an,
während er im Sanscr. dict. (mit Kuhn u. A. „Nichtschützer"
erklärt: beides nach meiner Ueberzeugung gleich unmöglich.

⁵⁰ (S. 87.) S. Benfey, gr. Wurzell. II, 182. Ob für

nâbhi die gesonderte Bedeutung „Verwandtschaft" aufzustellen ist, kann bezweifelt werden, da die im Petersb.
Wörterb. aus dem Rigveda angeführten Stellen die Uebersetzung umbilicus zulassen, zum Theil sogar durchaus fordern.
Doch möchte ich sanâbhi, sanabhja, die nicht eben eine
entsprechend nahe Verwandtschaft bedeuten, nicht aus dieser
letzteren Bedeutung erklären. Nâbhi, umbilicus, ist wahrscheinlich, wie das semitische surrun, eigentlich Schnur,
funiculus umbilicus.

³¹ (S. 47.) Bopp's Herleitung von Braut aus dem
sanskritischen prauḍhâ, Geheirathete (wörtlich = pro-
vecta, von pra-vah), würde selbst einer verwerfenden Erwähnung nicht werth sein, wenn nicht auch Grimm (Wörterb.
I, 1051. II, 331) sie festgehalten und noch 1860 wiederholt hätte. Sie beweist nur, zu welchen Irrthümern bei
gänzlicher Vernachlässigung der Begriffsgesetze eine einmalige
Abweichung von der Strenge des Lautgesetzes selbst Sprachforscher dieses Ranges verleiten kann. — Braut ist im
Gothischen (bruths): Schwiegertochter und Neuvermählte,
im Altnordischen (bruðhr): Gattin, Braut, Weib, Mädchen; über den mittelhochdeutschen Begriff vgl. W. Müller
unter dem Worte brût.

³² (S. 47.) Die herkömmliche Erklärung von Bruder
aus bhri, tragen, erhalten, als Ernährer, kann ich kaum
lautlich, gewiß aber nicht begrifflich zutreffend finden. Bekanntlich ist φρατρία Geschlecht und der dritte Theil einer
φυλή, später auch als Uebersetzung von curia gebraucht:
φράτορες sind die Mitglieder dieser φρατρία, aber das
Etymologicon magnum erklärt auch: διδάσκαλοι, ἢ κα-
τέρας, ἢ συγγενεῖς. Ebenso bei Bekk. An. 313, 21:
· φράτορες συγγενεῖς, οἰκεῖοι, und ebendaselbst p. 1430

Choerob. ad Theodos. f. 66. 160: φράτορες δέ εἰσιν οἱ συγγενεῖς. Diese Bedeutungen vereinigen sich zu dem Grundbegriff der Verbindung und Verwandtschaft. Die Bedeutung „Lehrer" scheint auf den ursprünglichen Begriff des älteren Bruders hinzuweisen, wiewohl in persischen Dialecten (namentlich Buchara) birâdar gerade den jüngeren Bruder (und dâdar den älteren) bedeutet. Daß φρητήρ bei Hesych sich auch noch durch ἀδελφός erklärt findet, hat Legerlotz bemerkt (S. Curtius S. 273). Auch Etymologien wie Vater als Beschützer, Mutter als Bildnerin u. dgl. halte ich für durchaus unzulässig. Doch hängt der Ursprung dieser Wörter mit Fragen zusammen, die weit über den indogermanischen Kreis hinausreichen, und deren Untersuchung ich mir auf einen andern Ort vorbehalten muß.

⁸³ (S. 87.) Die Wörter gehören zu einer Gruppe von Wurzeln des Verbindens, von welchen chatam, verschließen, versiegeln, lautlich am nächsten steht, und die u. A. auch chasam, den Mund verschließen, atam, die Lippen schließen, die Ohren verstopfen, âtam, die Augen schließen, in sich begreift. Choten ist der Schwiegervater des Mannes, der Vater von dessen Weibe, ebenso das Femininum chotenet die Mutter des Weibes. Die Eltern des Mannes und also Schwiegereltern der Frau heißen cham, chamot. Derselbe Unterschied findet ursprünglich (nach dem Etym. magn.) zwischen πενθερός, πενθερά und ἑκυρός, ἑκυρά statt; diese bedeuten die Schwiegereltern der Frau, jene die des Mannes. Das arabische chatanun heißt: Verwandter der Frau, ihr Vater oder Bruder, im gewöhnlichen Leben: Schwiegersohn, umfaßt also die beiden hebräischen Wörter choten und chatan. Der Gegensatz, den Pollux zwischen πενθερός und γαμβρός macht, scheint demnach der ur-

fprünglidhe zu fein; es lam der Sprache dereinft mehr daranf
an, die Verwandten des Mannes von denen der Frau zu unter-
fcheiden, als die Stufen Schwiegervater, Schwager, Schwieger-
fohn, welche Wörter auch im Deutfchen von der erften der drei
Stufen ausgehen. Daß die Litthauer meszuras ganz ebenfo
gebrauchen, wie es von ἑκυρός überliefert wird, nämlich
nur für den Schwiegervater der Frau, beweift die Alter-
thümlichleit diefer Specialifirung. Der auch bei den Indogermanen einft vorhandene, aber zurüdgedrängte Reichthum von Verwandtfchaftsbezeichnungen nach Motiven, die
uns heute ferne liegen, deutet auf urzeitliche Familienzu-
ftände ganz anderer Art. Wie das noch im Althochdeutfchen
(zeichor) vorhandene δαήρ, levir, Schwager der Frau,
befonders jüngerer Bruder des Gatten, nebft glos, Schwägerin, als Schwefter des Gatten, das auch im Griechifchen
und Slavifchen vorhanden ift, bei uns verfchwunden find,
fo verliert auch, wahrfcheinlich im Zufammenhange mit einer
Veränderung in der Stellung des Weibes, das hebräifche
cham in der nachbiblifchen Zeit feine fpecielle Bedeutung
und heißt bloß „Schwiegervater" (f. Kimchi); und im Ara-
bifchen fcheint in hamun derfelbe Verlauf ftattgefunden zu haben.
Von den beiden griechifchen Wörtern ift nur πενθερός im
profaifchen Gebrauch verblieben; während faft alle andern In-
bogermanen übereinftimmend die dem ἑκυρός entfprechenden
(socer, Schwäher u. f. w.) ausfchließlich und ebenfo unter-
fchiedslos verwenden.

54 (S. 88.) Hoheſl. 4, 9. 10. 12. 5, 1; außerdem
kallah 4, 8. 11. Man vergleiche dagegen: ra'jati (meine
Freundin): 1, 15. 2, 2. 10. 13. 4, 1. 7. jonati (meine
Taube): 2, 14, und daneben noch tammati (meine Voll-
lommene oder Treue): 6, 9, fowie achoti (meine Schwefter)

ra'jati jonati tammati: 5, 3. 6, 4, und jafati (meine Schöne): 2, 10. 13. Kallati für „meine Braut“ ist, wie man sieht, durchaus unhebräisch. Ueberhaupt ist aber der Gebrauch des Wortes kallah für Braut ein wichtiges Kriterium für das Zeitalter biblischer Bücher, einer jener lange schweigsamen und unerwartet zum Sprechen gebrachten Zeugen, die um so entscheidender sind, je unwillkürlicher ihr Zeugniß ist. Während kallah in Schriften aller Zeiten für Schwiegertochter vorkommt (1. u. 3. B. Mos., Ruth, Samuel, 1. Chron., Hosea, Micha, Ezechiel), heißt es dagegen „Braut“ außer den angeführten Stellen des Hohenliedes nur: Jesaia 49, 18. 61, 10. 62, 5 (also der sog. 2. Theil); Jeremia 2, 32. 7, 34. 16, 9. 25, 10. 33, 11; Joel 2, 16. Ebenso chatan für Bräutigam (Neuvermählter) nur in vier der aus Jeremia und zwei der aus Jesaia angeführten Stellen, sowie der aus Joel, neben kallah, außerdem noch Psalm 19, 6. Wie man also die schwierige Stelle 2. Mos. 4, 25 f. auch verstehen mag, so ist doch jedenfalls „Eidam“ und nicht „Bräutigam“ zu übersetzen. Vermählung heißt von Seiten des Mannes chatunnah (Hohesl. 3, 11), von Seiten des Weibes kelulot (Jer. 2, 2). Die Ableitung des Wortes kallah von kalal, zusammenfassen, woher auch kol, alles, liegt am Tage. Ein gleichlautendes spätes kallah heißt „Versammlung“ (bei Buxtorf fehlt das Wort), und der Doppelsinn wurde, wie es scheint, im Mittelalter zu mystischen Spielen benutzt. Im Arabischen ist kannatun Schwiegertochter und Schwägerin (Frau des Bruders).

[65] (S. 88.) Bekk. An. 228, 32: Γαμβρὸν τὸν νυμφίον Αἰολεῖς, Ἀθηναῖοι δὲ τὸν ἄνδρα. οἱ δὲ θυγατρὸς καὶ ἀδελφῆς ἄνδρα. Σοφοκλῆς δὲ τὸν πενθερὸν ἀντὶ τοῦ γαμβροῦ τίθησιν. Et. m. s. v.

γάμος: γαμβρὸν δὲ τὸν νυμφίον, ἢ τὸν κατ' ἐπι-
γαμίαν οἰκεῖον. Ἐναλλάσσεται τὸ ὄνομα πολλάκις.
Σοφοκλῆς δὲ τὸν πενθερὸν ἀντὶ τοῦ γαμβροῦ λέγει.
Umgekehrt findet sich auch νύμφη bei Pollux als Schwiegertochter erklärt: ἡ μὲν οὖν γεγαμημένη νύμφη καλεῖ-
ται τῇ τοῦ γήμαντος μητρὶ καὶ ἑνός, οὗτοι δὲ τῇ
νύμφη ἑκυρός καὶ ἑκυρά. Und daß diese Bedeutung
wirklich lebendig war, zeigt σύννυμφοι, das sich bei Hesych als Erklärung von εἰνάτερες neben αἱ τῶν ἀδελ-
φῶν γυναῖκες findet, also „Schwiegertöchter Derselben",
das Gegenstück von σύγγαμβροι. Vgl. Ael. Dionys. bei
Eust. Il. Ϛ. 511, 3: εἰνάτερες αἱ ἐπὶ ἀδελφοῖς σύννυμφοι. Andererseits ist υυός, ein allgemein indogermanisches Wort für Schwiegertochter (nurus, Schnur, sanskr.
snuschâ), bei Theokrit (18, 15) in den Begriff Braut, Gattin
übergegangen. In den slavischen Sprachen ist snocha, Schwiegertochter, mit den erwähnten Wörtern identisch; aber auch
das russische newjesta, Schwiegertochter, Schwägerin, Braut,
junges Mädchen, gehört ohne Zweifel zu einer der besprochenen Wurzeln. Entfernter verwandt ist wohl auch das
lateinische noverca, Stiefmutter.

[36] (S. 89.) De Borusso-Lithuanicae tam in slavicis
quam letticis linguis principatu commentatio II., Halis
Saxonum 1841 p. 50.

[37] (S. 89.) Nischha', schwören, in reflexiver Form,
wegen der Grundbedeutung: sich verbinden; factitiv: hischláá,
beschwören, einen Andern eidlich verbinden.

III.

⁵⁹ (S. 93.) Max Müller's Vorlesungen über die Wissenschaft der Sprache II, S. 58 der Uebersetzung.

⁵⁹ (S. 94.) Ebend. I, S. 326. 303.

⁶⁰ (S. 95.) Pott, Etym. Forsch. Zweite Aufl. I, S. 162.

⁶¹ (S. 96.) Die Wurzel von freien, Freund, dem gothischen frijon, lieben, sanskr. prī, gehört wohl zu den bisher am meisten mißverstandenen oder unverstandenen. Den Beweis, daß auch dieser reich verzweigte Stamm zu den gewaltig ausgedehnten Massen zählt, die aus der Begriffswurzel der Verbindung entspringen, behalte ich mir für den zweiten Band meines größeren Buches vor, und erwähne nur noch, daß die Bedeutung des Eigenthums, die sich namentlich in den celtischen Sprachen durch die verwandten Wörter zieht, schon allein für jenen Grundbegriff fast entscheidet. Einer einfacheren Form desselben Stammes gehört u. A. auch das lateinische par, Paar, an, aber auch pario, paro — vgl. comparo — und imperium; ferner wahrscheinlich operio, aperio u. a.

⁶² (S. 105.) Ueber die Araber s. S. Munk, Mélanges de philosophie Juive et Arabe, Paris 1859, p. 327. Desselben „Le guide des égarés, par Moïse ben Maïmoun, Paris 1856—1866, I, p. 185. III, 137. Ueber die buddhistische Ansicht: Colebrooke, essay on the philosophy of the Hindus, Part II. in „Transactions of the R. As. Soc." Vol. I. p. 112.

⁶³ (S. 106.) Rep. X, 597.

⁶⁴ (S. 107.) Elementarlehre II. Th. I. Abth. II. B. I. Hauptst. S. 141 der Originalausgabe von 1781.

⁶³ (S. 109.) Herder a. a. O. 94: „diesen rohen Witz, diese kühne Phantasie." M. Müller's Vorl. II. S. 59: „Wollten wir uns der Sprache Locke's bedienen, so könnten wir sagen, daß die Menschen bei der Bildung der Namen sich mehr von ihrem Witze, als von ihrer Urtheilskraft leiten ließen. „Der Witz," sagt er, „liegt meist in der Vereinigung der Ideen und in der schnellen und mannigfachen Zusammenstellung solcher, in denen irgend eine Aehnlichkeit oder Uebereinstimmung zu finden ist, um dadurch in der Phantasie ansprechende Gemälde und angenehme Bilder zusammenzusetzen; die Urtheilskraft und der Scharfsinn bewegen sich im Gegentheil auf einem ganz andern Gebiete, indem sie solche Ideen sorgfältig von einander trennen, in denen der geringste Unterschied zu finden ist, um dadurch jede Gefahr, sich durch Aehnlichkeit oder Verwandtschaft zu einer Verwechselung verführen zu lassen, zu vermeiden."" (Hum. Und. II, 11, 2.) Während die nach der philosophischen Methode des Bischof Wilkins den Dingen gegebenen Namen alle auf das Urtheil begründet sein würden, beruhen die von den uralten Bildnern der Sprache gewählten hauptsächlich auf dem Witz und der Phantasie." Pott nimmt an, „daß nicht der Verstand die Sprache schuf, vielmehr, freilich nicht ohne seine hülfreiche Mitwirkung und ordnende Aufsicht, des Menschen Phantasie, von erregtester Sinnlichkeit entzündet." (Et. F. 2. A. II, 1, 231.)

⁶⁴ (S. 110.) Vergl. conjux, σύζυγος. Es ist merkwürdig, daß die im Arabischen gebräuchlichen Wörter für Gatte und Gattin, zaugun, zaugatun, Lehnwörter aus dem griechischen ζεῦγος sind, die sich in mehrere semitische Sprachen so eingebürgert haben, daß selbst Verbalformen mit allem Anscheine der Wurzelhaftigkeit daraus

gebildet werden. Sie sind ohne Zweifel in das Arabische zunächst aus dem Aramäischen übergegangen, wo das entsprechende Wort zug ebenso lebendig ist. Natürlich ist dabei nur an die Grundbedeutung Paar zu denken: diese ist die bei ζυγός und den verwandten Wörtern, auch dem gothischen juk und sanskritischen juga überall besonders hervortretende Bedeutung, so daß z. B. dem lateinischen par et impar, paar und unpaar, grad oder ungrad, im Griechischen ζυγὰ ἢ ἄζυγα, Sanskrit juǵ ajuǵ (Man. 3, 277.) entspricht.

⁵⁷ (S. 116.) Nach der Genesis (2, 20) gab der Mensch „allen zahmen Thieren, den Vögeln des Himmels und allen Thieren des Feldes" Namen. Die Nichterwähnung der Fische ist schon den alten Commentatoren aufgefallen; mein Vater hat dieselbe sinnreich mit dem Mangel der Fischnamen in den biblischen Schriften combinirt. 5. Mos. 14, 3 ff., und 3. Mos. 11, wo specielle Säugethiere, Vögel, Insecten und Reptilien aufgeführt werden, und wo man ebenso auch Fischspecies unterschieden zu sehen gewiß erwarten dürfte, ist nur eine ganz allgemeine Bestimmung, gleichsam eine Definition des Begriffes Fisch gegeben. Auch der Fisch des Jona wird nur ganz allgemein als „großer Fisch" bezeichnet. Das Wort tannin, großes Wasserthier, Krokodil, ist ebenfalls ganz unbestimmt; als Wurzel wird mit Unrecht tanan angenommen: das Wort ist gleichen Stammes mit dem aramäischen nun, Fisch, arabisch nunan, großer Fisch, und gebildet wie tannur, Ofen, von nur, Feuer, indem tannin für tanvin (und tannur für tanvur) steht. — Wasserthiere werden häufig erst nach Landthieren benannt, mit denen sie irgend welche Aehnlichkeit haben, z. B. Seehund, Seelöwe, lupus (Hecht).

⁶⁸ (S. 117.) „Fera, teor" Voc. S. Galli 197.

** (S. 117.) L. 1. §. 6. D. de postulando (3, 1)
[Ulpianus]: Bestias autem accipere debemus ex feritate
magis, quam ex animalis genere. L. 1. §. 10. D. si
quadrupes pauperiem (9, 1) [Ulpianus]: In bestiis autem
propter naturalem feritatem haec actio locum non habet;
et ideo si ursus fugit et sic nocuit, non potest quondam
dominus conveniri, quia desinit dominus esse, ubi fera
evasit... L. 2. §. 2. D. ad legem Aquiliam (9, 2)
[Gaius]: Ut igitur apparet servis nostris exaequat quadrupedes, quae pecudum numero sunt et gregatim ha-
bentur, veluti oves, caprae, boves, equi, muli, asini;
sed an suum pecudum appellatione continentur, quaeri-
tur, et recte Labeoni placet contineri; sed canis inter
pecudes non est. Longe magis bestiae in eo numero
non sunt, veluti ursi, leones, pantherae; elephanti autem
et cameli quasi mixti sunt, nam et jumentorum operam
praestant, et natura eorum fera est, et ideo primo capite
contineri eos oportet. — Gaius, Inst. Comm. Lib. II. §. 16.
[Nec] mancipi sunt velut ursi, leones, item ea animalia
quae ferarum bestiarum numero sunt, velut elephan-
tes et cameli. — Ulpianus, Fragment. Tit. XIX. §. 1...
Et quadrupedes quae dorso collove domantur, velut
boves, muli, equi, asini; ceterae res nec mancipi sunt.
Elephanti et cameli, quamvis collo dorsove domentur,
nec mancipi sunt, quoniam bestiarum numero sunt.

⁷⁰ (S. 117.) Wo ein Gegensatz zwischen wilden und
zahmen Thieren gemacht werden soll, heißen die ersteren
chajjah, die letzteren behemah; der Gesammtbegriff Thier,
insbesondere vierfüßiges Thier, wird entweder durch „wilde
und zahme Thiere" umschrieben (z. B. 1. Mof. 1, 24), oder
eines der beiden Wörter dient für den ganzen Umfang

(3. Mof. 11, 2. 46. 47; behemah: Prov. 30, 30; chajjah: 1. Mof. 1, 28 ff.). In einigen poetischen Stellen
heißt jedoch behemah „Wild", (5. Mof. 32, 24. Pf. 50, 10.
Hab. 2, 17. Jef. 30, 6), während chajjah nie zahmes
Thier mit Ausschluß des Wildes bedeuten kann. Neben
dem gewöhnlicheren „Wild des Feldes, des Landes, des
Waldes" findet sich daher in demselben Sinne auch: Thier
— behemat — des Landes (Jef. 18, 6. 5. Mof. 28, 26;
fünfmal bei Jer.), des Feldes (1. Sam. 17, 44); Thiere
— bahamot — des Landes (Hiob 35, 11), des Feldes
(Pf. 8, 8. Joel 1, 20. 3, 22), des Waldes (Mich. 5, 7).
Da die Poesie der alten Sprache näher zu stehen pflegt,
so darf man wohl schließen, daß die älteste Zeit überhaupt
kein Wort hatte, das alle zahmen Thiere und nur diese
bezeichnete. — Uebrigens sind beide Worte chajjah und
behemah ursprünglich Collectiva: sie heißen „Thiere," nicht
eigentlich Thier. (Namentlich findet sich chajjah in der
Mehrheit nur: Jef. 35, 9. Pf. 104, 25; außerdem Dan. 8, 4
und neunmal bei Ezechiel). Der Grundbegriff ist in beiden
sehr allgemein; chajjah heißt „Lebendiges," behemah, wahrscheinlich so viel als brutum, das Stumme oder Dumme,
Vernunft- oder Sprachlose. Im Aramäischen und Arabischen
ist von dem ersten Worte auch die specielle Bedeutung
„Schlange" entwickelt, wahrscheinlich in dem Sinne des
besonders gefährlichen Thieres. Die Schlange wurde, wie
aus 1. Mof. 3, 1 und 14 hervorgeht, auch von den Hebräern
unter den Begriff chajjah gestellt.

71 (S. 117.) S. Petersburger Wörterbuch u. d. W.
(„arujah paçavah").

72 (S. 118.) Ebend. bes. die Stellen Ath. V. 11, 2, 9.
Çat. Br. 6, 2, 1, 18.

[73] (S. 119.) Helgakvidha Hundingsk. II, 35.

[74] (S. 120.) Nirukta, Erl. S. 128. Petersb. Wörter-buch u. d. W.

[75] (S. 121.) Vgl. Urspr. und Entw. S. 423 f. 465. Unzweifelhaft gehört auch kapota, Taube, zu den von der Farbe abgeleiteten, mit kapi, Affe, zusammenhängenden Vögelnamen; doch steht dieser Name mit andern in der Geschichte des Farbensinnes hoffentlich bald auszuführenden Fragen in Verbindung. Aus unzähligen Beispielen sei hier γλαῦξ, Eule („Graue") neben γλαυκός erwähnt. In Folge einer falschen apriorischen Voraussetzung über das Concrete in der Sprache war man bisher bemüht, die Farbenwörter auf irgend einen bestimmten farbigen Gegenstand zurückzu-führen, und z. B. grün womöglich als grasfarben zu er-klären. So soll nach Pott (Etym. Forsch. II, 54) aquilus, schwärzlich, von aquila, Adler kommen, welches selbst durch-aus willkürlich durch „schnell" erklärt wird. Jedermann sieht, daß ohne jene philosophische Voreingenommenheit ge-wiß umgekehrt aquila von aquilus abgeleitet worden wäre. Die Endung ilus deutet zudem auf Farbe, und ich gestehe, in diesem aquilus nichts als eben kapila (d. i. kvakvila) finden zu können. Man vergleiche περχνός, schwärzlich; bei Aristoteles (ἀετός) περχνότερος (H. An. 9, 32) und daneben bei Homer (Il. 14, 316) περχνός als Name eines Adlers. — Ebendaher kommt der Name des Flußfisches πέρχη, perca, Barsch (der deutsche Name ist aus dem französischen perche entlehnt). Auch porcus,* Schwein, Ferkel, und πρόξ, προκάς, Reh, gehören (wie mit Recht schon Zid annimmt) zu eben diesem Farbenworte πέρχος oder περχνός. — Das interessante Wort Staar, sturnus, ψάρ gehört ebenfalls zu den der Farbe entnom-

menen Vögelnamen; im Russischen entspricht skvorets, woneben skverna, skvara, Fled, Befleckung, Schmuz, σχώρ. Die slavische Form hat den ursprünglichen Anlaut skv erhalten, der nicht nur die der verwandten Sprachen, sondern u. A. auch Sperber und Sperling erklärt.

[70] (S. 124.) Vgl. Pott, Etym. Forsch. 1. Ausg. I, 227. Bopp's Gloss. sanscr. unter krt. Benfey gr. W. II, 128. Etwas entfernter gehören zu der hier besprochenen Wurzel auch krauen, kratzen, Kralle, das mittelhochdeutsche krimmen oder grimmen, kratzen, zerdrücken u. A. In Grimm's Wörterbuch findet sich kernen (buttern) gedeutet: „den Kern aus der Milch gewinnen," wobei Kern als „das Beste und Fetteste" verstanden ist; sowie denn überhaupt der Grundbegriff von Kern verkannt zu sein scheint. „Das Wort umfaßt Dinge" (heißt es V, 593), „die sachlich ziemlich verschieden sind, aber in einem Begriffe übereinkommen als unscheinbarer Träger der Fortpflanzungskraft; beigemischt ist theils der Begriff der Festigkeit, Härte, theils der des markartigen, weichen, verborgnen, lebensvollen Inneren." Die Anschauung des von der Schale, und übertragenerweise von dem schwächeren, unwichtigeren, äußerlichen oder nutzlosen Bestandtheile Gesonderten ist gewiß in dem Worte lebendiger. Kern der Milch kommt umgekehrt von dem Begriffe des Kernens, Umrührens, Gerinnenmachens. Kernfleisch, Brustkern möchte ich nicht von dem aus carnem entstandenen Kern (Fleisch von gefallenen Thieren, Raubthieren), nebst Kerner (kernder, kerder, carnarium, Beinhaus und Fleischkammer), sowie körnen (ködern, wohl eigentlich mit Fleisch als Lockspeise) trennen. Der Kerner, Kirner, Körner, Werkzeug zum Vorschlagen oder Durchschlagen von Löchern, kann sehr wohl

von firnen in der Bedeutung „bohren" kommen, da das
Bohren aus dem Quirlen und der Bohrer aus dem urzeit-
lichen Quirl- oder Bohrfeuerzeuge entstanden ist.

[77] (S. 129.) Pott, Etym. Forsch. 2. Ausg. I. 163.
Von der gleichen Anschauung ausgehend, sagt Curtius unter
sonst sehr richtigen Bemerkungen über die Unzulänglichkeit
der vagen und allgemeinen Bedeutungsumschreibungen indischer Wurzeln von Seiten der einheimischen Grammatiker
(Grundzüge, 2. Aufl. S. 103): „Wie wenig aber auch bei
den aus einzelnen Beispielen nachgewiesenen davon die Rede
sein kann, ihre Grundbedeutung sei erforscht, das zeigt schon
die Menge ganz verschiedener Bedeutungen, die sich unter einer
Wurzel vereinigt finden. So bei Wurzel vi nicht weniger als
sechs.... Solange diese verschiedenen Bedeutungen nicht auf
ein Centrum zurückgeführt sind, kann der Etymolog eine der-
artige Wurzel, und noch dazu außerhalb des Sanskrit, gar
nicht gebrauchen." Die Zurückführung wesentlich verschiedener
Bedeutungen einer Wurzel auf ein Centrum ist grade dasjenige, was praktisch für den Sprachforscher am wenigsten
Werth hat; jeder Versuch dazu ist eine ganz ungerechtfertigte
Ueberschreitung des Bodens der Thatsachen, die nothwendig
zu den gewagtesten Hypothesen führen muß. J. Schmidt,
der in seiner Schrift „die Wurzel ak im Indogermanischen"
(Weimar 1865) solche Grundsätze in Praxis umzusetzen versucht hat, indem er einige hundert lautlich mit ak zu-
sammenzubringende Wörter auf die Grundbedeutung „scharf
sein" reducirte, hat damit nur die Falschheit dieses Ver-
fahrens bewiesen und seinen sein Buch bevorwortenden
Meister zu den verzweifelnden Aeußerungen mit veranlaßt,
die ich in der Vorrede angeführt habe.

[78] (S. 132.) Bensey hatte im griechischen Wurzellexicon

Nacht aus dieser Wurzel erklärt (II, 57), zieht aber in
den Nachträgen (S. 369) eine Ableitung aus negativem n
mit der Wurzel von wachen (also „Nichtwachen") vor, und
kommt auch in dem Sanskritwörterbuch nicht auf jene erste
Ableitung zurück. Tiefenbach (I, 107) vermuthet eine Verneinung von ahtvo, Morgen; s. jedoch unten Anm. 79.
Grimm (Myth. 698) verbindet Nacht mit genug als „die
genügende, friedliche, ruhige, zugleich aber vermögende
und starke." Ein Zusammenhang mit den später gebräuchlichen Sanskritwörtern niç, niçã ist sehr ungewiß; die
gewöhnliche Ableitung derselben von der Wurzel çi, liegen,
schlafen, mit dem Präfix ni, ist nicht unmöglich, schließt
aber natürlich einen Zusammenhang mit nakta, naktû, nak
(nakt, nag? Rv. 7, 71, 1), Nacht aus. Curtius sagt
(S. 149): „die Wurzel ist gewiß Nro. 93, da die Nacht
keines Menschen Freund ist." (Unter Nro. 93 ist νεκρός,
todt, lat. nex, aber auch nocere zusammengestellt). Pott
hat sich schon der ersten Auflage der „Grundzüge" gegenüber (Etym. Forsch. II, 1, 303, i. J. 1861) gegen diese,
wie er sagt, „sinnlose" Erklärung von Curtius ausgesprochen. Aber was ist sinnlos, wo es keine Gesetze gibt?
— Pott selbst, der bemerkt, daß viel Enthaltsamkeit dazu
gehöre, nakta nicht mit aktu (Farbe, Licht) in Beziehung
zu setzen, versucht n als Negation zu deuten. Es bedarf
indessen nur der Annahme einer Wurzelform nag neben
ang, analog dem Verhältniß von Nagel zu ungula,
unguis; und zu dieser Annahme kann allein schon die
Vergleichung des dem nakta ganz gleichbedeutenden aktú
(Rv. 1, 62, 8) führen.

79 (S. 132.) S. Tiefenbach I, 172.

80 (S. 132.) Urspr. und Entw. S. 150 f. καρ, καρά,

(καπαω) ψόφος u. f. w. erklärt Benfey im W. L. von σκεπω bedecken, aber im Sanscrit Dict. von der Wurzel xi, verlegen, zerstören. — Man vergleiche vielmehr καπνός, vapor, und das litth. kwapas, Hauch, Athem, Luftzug, Geruch, Ausdünftung, woneben in κόπρος sogar die Bedeutung „Schmutz" noch sieht.

⁸¹ (S. 134.) Vgl. Tiefenbach II, 44. — Falsch ist die Zusammenstellung Anderer mit mors als „todtes" Wasser. Analogien bietet z. B. πέλαγος neben πηλός, palus u. f. w.

⁸² (S. 136.) Hierzu gehört also auch ἐνδελεχής, andauernd, und indulgeo, eig. ausbauern, aushalten, dulden, (vgl. Benfey, I, 48. Tiefenbach, II, 675).

⁸³ (S. 138.) Das mir bnaaan zunächst verwandte Wort ist ohne Zweifel χναύω. Die Gruppe gn ist im Gothischen unmöglich, und ist in Folge des Vermeidungsprocesses in bn übergegangen. Χναύω, bedeutet sowohl reiben, kratzen, rupfen u. f. w., in welcher Bedeutungsrichtung es an κναίω, κνύω angränzt, als auch nagen, naschen; Euripides (Cykl. 358) gebraucht das Wort vom Abnagen der Knochen oder Zerbeißen des Gebratenen beim gierigen, gefräßigen Verzehren des Menschenfleisches. Die dialectischen knauen, gnauen, ferner knaupeln, knuppern, außerdem aber auch nagen (engl. gnaw) und naschen, nebst einer unzähligen Menge von Nebenformen gehören hierher; auch, wie ich glaube, Knochen. Bou Bein und bohnen, die zu einer Umgestaltung des Anlautes keine Veranlassung boten, ist die Zusammengehörigkeit mit den guttural anlautenden Wurzeln allerdings unsicher, und ich möchte sie gegen eine entgegengesetzte Ansicht nicht aufrecht erhalten: doch ist ein Wechsel von Labialen und Gutturalen namentlich in Folge eines verlorenen, ursprünglich folgenden v

bekanntlich in sehr vielen Fällen gewiß, und wir finden
neben γνστίω nicht nur ψάω, ψύχω u. a. sondern auch
lhas, essen, lauen (s. Böhtl.-R.). — Der Zusammenhang
der Bedeutungen nagen und kratzen ist übrigens nach den
auf S. 158 ff. ausgesprochenen Grundsätzen zu beurtheilen.

⁸⁴ (S. 142.) Schmeller (bayrisches Wörterbuch I, 221)
führt bitter als Adverb in der Bedeutung sehr an, in
den Redensarten: bitter gern, bitter schön, bitter süß, bitter
viel, bitter wenig, bitter bös, bitter grüßen, regnen, lachen,
weinen. Das Wort bedeutet also hier wahrscheinlich noch
schmerzlich, welches ja auch die Grundbedeutung von
sehr ist. Wir haben bitter bös, bitter süß, bitter
weinen und bitter lachen erhalten, aber mit Neben-
begriffen, die aus der gegenwärtigen Bedeutung des Wortes
geflossen sind, in Folge jener seltsamen Wortverirrung,
von der ich in Rothstall ein Beispiel angeführt, aber
indessen noch mehrere aufgefunden habe. Sie ist nicht mit
den Veränderungen in der Lautgestalt der Wörter zum
Zwecke etymologischer Verständlichkeit zu verwechseln, wovon Sündfluth und Armbrust die bekanntesten Beispiele
sind; in den hier besprochenen Fällen hat sich umgekehrt die
Function der Wörter demjenigen angepaßt, was später
unter dem Laute verstanden wurde. Bilderbogen z. B.
ist jetzt ein Papierbogen mit Bildern, bei L'ogau aber bedeutete es Thierkreis (s. Grimm). Wenn dies der ursprüngliche Gebrauch ist, so mag der Mittelbegriff „gemalter
Thierkreis" gewesen sein. Auch der Vorgang mit Friedhof
ist ein ähnlicher; die Beschränkung des gefriedigten Hofes
auf den Kirchhof ging von der mißverständlichen Deutung:
„Hof des Friedens" aus. — Von der wunderlichen Art
der Wortbildung durch mißverständliche Uebersetzung bieten

besonders Thiernamen oft weil verbreitete Beispiele. So ist cuniculus, Kaninchen, schon früh in „Königlein" verwandelt und demgemäß von den Slaven mit krolik übersetzt worden. Der „Gießvogel" ist eine Uebersetzung von χαραδριός, als ob dieser Name von χαράδρα, Gießbach, käme, während er zum sanskr. hâridrava gehört und etwa „Gelbvogel" bedeutet haben muß.

IV.

83 (S. 147.) Neben dem vedischen aktú steht nämlich aktu, Nacht, von nakta schwerlich grundverschieden. Die Ableitung von anǵ, färben, steht außer Zweifel, und zeigt sich in vielen Stellen noch im Gefühl lebendig; nur darf man freilich nicht mit Pott (Et. Forsch. 2. A. II, 2, 1, 494) die Nacht als „Färberin" auffassen. Der Begriff Farbe, als Färbestoff, als rother aufzustreichender Saft, steht im Gebrauche unverkennbar daneben. Besonders in der Mehrheit findet sich nun dasselbe aktu häufig von den Farben, mit denen Sonne, Morgenröthe und Feuer den Himmel bestreichen, färben, und es nähert sich daher dem Begriff des Lichtes so sehr, daß die indischen Erklärer sogar „am Tage" verstehen, wo nach Böhtlingk und Roth „bei Nacht" zu übersetzen ist. (Rv. 7, 11, 3.) In dem unzweifelhaft identischen, auch von J. Schmidt („die Wurzel ak" S. 47) auf andere Weise damit verglichenen, germanischen uohts findet sich nun dasselbe; es ist ein zwischen Nacht und Morgen noch schwankendes Wort. Das gothische uhtvo bedeutet Morgenfrühe. Das altnordische otta ist die Zeit von 3 bis 6 Uhr Morgens (s. Grimm, Myth. 709); in

deutschen Dialecten bezeichnen entsprechende Wörter Dämmerung, auch Abenddämmerung, und Nacht. (Vgl. Tiefenbach I, 207.) In dem schweizerischen Uechtland heißt
das Wort wohl Nebel, oder gar Sumpf. — Zu der Wurzel
von aktu gehören ferner auch agni, lat. ignis, Feuer, und
angâra, Kohle. Eine Ableitung wie πῦρ, Feuer, von pû,
reinigen, die auch Benfey noch neuerdings wiederholt, gehört zu denen, die die Unzulänglichkeit auch der vollkommensten blos lautlichen Etymologie ins Licht zu setzen geeignet sind.

⁵¹ (S. 148.) Ich kann hier vorläufig nur auf die kurzen
Andeutungen verweisen, die ich in der 41. Versammlung deut-
scher Naturforscher und Aerzte über die Entwickelung des
Farbensinnes der Urzeit gegeben habe. Ein Beispiel verschiedener in einer Wurzel zusammenbefindlicher Farben im
Semitischen bietet schachor, schwarz, sachor, weiß, scha-
char, Morgenröthe, sohorajim, Mittag, tahor, rein, zo-
har, Glanz u. s. w.; wozu ferner u. A. zarach, glänzen,
zarââl (lepra) und wahrscheinlich noch chasir, Grün (im
Arabischen auch von andern Farben) zu rechnen ist —
Im Russischen entspricht dem krischna zunächst tschёrnyj
(schwarz); aber ursprünglich nicht verschieden ist auch krasnyj,
roth und schön. Die Wurzel liegt hier noch sehr deutlich
zu Tage: krasitj heißt färben, kraska, Farbe, rother
Färbestoff, Schminke. Wahrscheinlich sind beide russische
Farbwörter Differenzirung eines ursprünglichen karana,
woraus bei Accentuirung der letzten Silbe durch Verlust des
ersten Vocals im Sanskrit krischna, im Russischen tschёrnyj
(für kёrn-), hingegen, vielleicht in Folge andrer Accentuirung, ohne diesen Vocalverlust krasnyj werden mußte.
Die Versetzung der Liquida im Slavischen und Griechischen,

zuweilen auch im Sanskrit, ist secundär: πράσον z. B. muß aus παρσον, porrum; brahman als Vermeidung der dreiconsonantigen Gruppe aus barhman, wie in Berg, erklärt werden, nicht umgekehrt. Unser Garten, hortus (für borthus) ist daher in den slavischen Sprachen theils grad, theils gorod geworden; Gerste, hordeum (statt horstheum) im Griechischen zu κριθή, (statt χρισθη). Gerste ist soviel als Borste, von der Wurzel hars (ghvars), lat. horreo für horseo (vgl. hirsutus) starren, sich borstenartig sträuben; ganz ebenso hebr. ścórah, Gerste, von śaár. Zu Borste gehört auch Bart (slav. brada) und Barte, die, wie das litthauische barzda (Bart, Widerhaken am Pfeil, beim Mähen des Grases stehen bleibender Kamm) zeigt, das s verloren, welches mit dem d, das z. B. in beard eintrat, sich nicht mehr vertrug. (Vgl. zum Theil Kuhn's trefflichen Aufsatz, Zeitschr. XL. 372 ff.; über σθ Urspr. und Entw. S. 413 f.). Als eine merkwürdige Analogie in dem semitischen und indogermanischen Sprachstamme ist es noch erwähnenswerth, daß wie im lateinischen hircus, der Bock, als zottiges Thier von der Wurzelform hira, so auch das hebräische saár von dem angeführten saár stammt. — Nach dem Obigen wird es wohl kaum zu gewagt sein, πράσον, Lauch (Grünes), und πυρρός, πυρσός, röthlich, blond, eben so gut zu krischna zu ziehen, wie Bensey es mit κιρρός, gelblich, bereits gethan hat. Wir haben somit in den verschiedenen Sprachen die Farben schwarz, blau (krischna), grau, weiß (canus), roth (krasna, πυρρός), gelb (κιρρός), grün (πράσον) in einem ursprünglich identischen Worte vereinigt. Daß es sich auf niedrigen Entwickelungsstufen noch bei heutigen Völkern ähnlich verhält, würde es leicht sein zu zeigen; doch muß ich mich hier dessen enthalten. Ebensowenig kann ich auf die mit dem besprochenen Stamme entfernter verwandten Wörter, wie z. B. kirmîra, bunt, oder περκνός, schwärzlich, πολιός, grau, eingehen, da die Bahnen, wie überall in der Sprache, endlos sind.

87 (S. 149.) S. 425 f. 152, wo jedoch die unendlich vielen Richtungen, nach denen sich die Wörter in leichten Modificationen verfolgen lassen, nur angedeutet sind. Die dem griechischen ἀνθ-, αἰθ- entsprechende Sanskritwurzel ist indh, brennen, anzünden. Im Lateinischen gehört dazu aestas, im Teutschen eit (alt- und mittelhochdeutsch) Feuer, und wahrscheinlich Eiter als zähe Flüssigkeit; (griechisch ἰχώρ, vielleicht aus îdhvar). — Bedeutsame Analogien lassen es mir unzweifelhaft erscheinen, daß schon in dem Ursprunge der Wörter ἄνθος und flos die Doppelseite des rothen Saftes und der Blüthe in der Anlage vorhanden war, und daß Blut und Blüthe ganz ebenso zusammenhängen. Blühen (von der in Anmerkung 88 zu besprechenden Wurzelgruppe) ist „farbig werden," namentlich „roth werden"; man vgl. z. B. engl. blush. Auch das slavische und litthauische kwiat, kwelka, twiet ist Farbe, besonders bunte, helle, nicht schwarze (color floridus), und zugleich Blüthe, Blume. Es gehört zu der (S. 156) besprochenen Farbenwurzel, woher auch heiß, weiß, heiter stammen. Das arabische zahrtun, Blume, kommt von einer Wurzel des Glänzens, die einem oben (Anm. 86) erwähnten Kreis von Farbenbegriffen angehört. Diefenbach versucht Blume mit dem slavischen plod, das Frucht, Wachsthum, Zeugung bedeutet, „etwa durch die Bedeutung des Explodirens, Hervorbrechens" zu vermitteln; Pott denkt an Verwandtschaft mit blühen.

88 (S. 150.) Man betrachte den Hintergrund, den das

Wort Morgen an Begriffen wie Dämmerung, Nebel, Dunkel hat, z. B. in der trefflichen Sammlung Diefenbach's in dem gothischen Wörterbuch, und man wird unter Beachtung der im Text nur angedeuteten analogen Begriffsübergänge, von dem Zusammenhang mit dem lat. marcidus, zerbröckelt, murcus, verstümmelt, und entfernter auch mit mergere, in eine Flüßigkeit tauchen, mit mellen, Milch, namentlich aber von der Stammesgleichheit des gothischen Wortes maurgeins, Morgen, mit gamaurgjan, abkürzen, überzeugt sein. — Was jedoch die specielle Vergleichung von brechen, glänzen, Blitz u. s. w. mit brechen betrifft, so wird die der Bedeutung nach zugegebene Möglichkeit des Zusammenhanges lautlich durch die folgenden Betrachtungen in ein sehr verändertes Licht treten. Als ältere Formen der Wurzel, die die Bedeutung des Brennens entwickelt, find nach dem oben (Anm. 86) Bemerkten sarg und salg, nicht frag und flag wahrscheinlich, und zwar tritt der Wechsel von l und r in einer Weise hervor, daß derselbe schon für die Zeit vor der Sprachtrennung angenommen werden muß. Wir finden ferner neben harita (in der ältesten Zeit hochgelb, orange, später aber gelb bis zu der gewöhnlichen Bedeutung grün fortschreitend) bharita; ebenso steht fulvus neben gilvus, helvus, und braun, blau neben grau und grün. Wir haben also hier dieselbe Erscheinung vor uns, wie in der Wurzel har oder bhar, halten (Urspr. und Entw. S. 424), wie in Gerste und Borste und überhaupt hars und bhars, sich emporsträuben (Anm. 86), wie in hram und bhram, brummen (Urspr. und Entw. S. 309 ff. 421 f.), in han und bhan, schlagen, tödten: Doppelwurzeln mit gh und bh im Anlaute stehen schon vor der Sprachtrennung in bedeutungsloser Variation nebeneinander, und wir können für fulgeo, flagro, ſervoo u. ſ. w., wenn wir nicht über die durch Sprachvergleichung gegebene Analyſe hinausgehen wollen, nur die Wahl zwiſchen den Grundformen ghalg, gharg (vielleicht ghvalg) oder bhalg. bharg offen laſſen, deren Zuſammenhang mit harita, χαροπός, χλόη, alſo einer einfachen Wurzel ohne den auslautenden Conſonanten, kaum zu bezweifeln iſt. Während die letzteren Formen uns einerſeits auf gharma (für ghvarma), Hitze, warm, griech. θερμός, θάλπω und χλιαρός, andererſeits auf χραίνω, χρίω, beſtreichen, beſprengen, ſalben, ſärben, χροιά, Farbe, χραύω, kratzen, und die Wurzel ghri, beſprengen und glänzen, verweiſen, ſo gehört doch ebenſo beſtimmt auch φύρω, kneten, mantſchen, miſchen, benetzen, beſleden, φάρμακον, Heil= und Zaubermittel, Gift, Farbe, hierher. Ueber Blut und blühen ſ. die vorige Anmerkung, ihnen gegenüber ſehen wir wieder Glut und glühen mit ihren zahlreichen Verwandten. Wenn man mit dieſem Sachverhalt die Steinthal'ſche Darſtellung von dem „Reflexlaut bhrak“ (S. ob. S. 30) vergleicht, ſo wird man ſich nicht verhehlen können, auf wie ſchwachen Füßen dieſe ganze Zuſammenſtellung mit allen auf dergleichen gebauten Folgerungen ruht.

[89] (S. 151.) Griechiſch σσ iſt aus tsch (für kj) entſtanden, ſ. Urſpr. und Entw. S. 433. ευ iſt eine Mittelſtuſe zwiſchen u und urſprünglichem au, ſanskr. ô, wie das germaniſche iu.

[90] (S. 153.) Ov. A. am. II, 467. Met. I, 15.

[91] (S. 155.) Asita iſt nicht mit sita zuſammengeſetzt; das letztere iſt wahrſcheinlich (wie sura aus asura) erſt daraus abſtrahirt; ita iſt die Farbenendung mit dem Femininum iknî (asiknî), wie palita, paliknî (Pâṇ. IV, 1, 39.

Värt. 2.) Sie findet sich auch in harita, rohita, bharita, pita, cjeta, cveta, eta, doch mit Femininen auf itā und int. Ein diesem ita entsprechendes Suffix ist in den europäischen Sprachen selten (russisch shëltyj, gelb, vgl. zoloto, slav. zlato, χρυσός, Gold), man müßte denn id in pallidus, rubidus, lividus, luridus, candidus, sordidus, lucidus, limpidus, squalidus, viridis damit identificiren wollen, wofür das dem palita entsprechende πελιδνός, πελιτνός angeführt werden könnte. Ursprüngliches d zeigt sich auch in schwarz, weiß, und mit dem letztern scheint cveta verglichen werden zu müssen. Neben den Femininen auf nī stehen aber auch die Masculina auf na: harina, cjena (weiß und Habicht), ferner hiraṇa, aruṇa, arjuna, copa, womit die Endung des Vogelnamens cakuna sich erklärt. Hierher gehört denn auch krischna. Wie schon aus den Verwandten des letzten Wortes sich ergibt, existirt das Suffix n auch in Farbenwörtern verwandter Sprachen, namentlich in grün, braun, in πράσινος, ἀργεννός, κύανος, μέλαν, περκνός (sanskr. priçni, gesprenkelt, litth. kerszas) u. A. Es ist nach alledem gewiß nicht zu gewagt, asinus mit asita zusammenzustellen. Auch κίλλος, Esel, kommt von κιλλός, κίλλιος, grau, nicht etwa umgelehrt. Der semitische Name des Esels chāmor (aus chimaur) ist ebenso abzuleiten. Häufiger als die erwähnten Endungen ist für die Farbe durch die indogermanischen Sprachen das Suffix la, ra verbreitet; z. B. çukra, çubhra, citra, çvitra, rigra (vgl. ἀργυρός), dhūmra, dhūsara, dhavala, nila (lat. niger), kapila, pāṭala, peçala (ποικίλος) pingala, pangala, pingara, pāṇḍara, pāṇḍura, kaḍāra, kirmira, kirmīra, karbura, carvari, çavala (vgl. kokila), nakula (gewöhnlich: Ichneumon, doch vgl. Pet. Wörterb.), citrals; griech. ἄργιλος, χλωρός, ὠχρός, ἐρυθρός, ruber und rutilus (vgl. fanßtr. rudhira, Blut), caerulus, aier. Der Sanßkritendung u in babhru (πορφύρεος), aru, pâṇḍu, karbu, kaddru scheint das lateinische vus zu entsprechen: fulvus, flavus, gilvus, helvus, fulvus, vgl. cor‑vus (Rabe) und vielleicht cervus (Hirsch); deutsch: falb, gelb (aus falw, gelw), blau, grau; i erscheint in hari, çuci, kapi, çiti. Die Endung ant zeigt sich in ruçant, vgl. lat. argentum (ragata); Suffix sa in aruscha. Im Sanßkrit werden auch Farbenwörter mit den Endungen anc, ça ge‑bildet, z. B. çviljanc, etaça, kapiça, vgl. γάρφοψ (das ich nicht „grünäugig" erkläre); αἴθοψ, αἰθίοψ, νῶροψ (ναρ = niger?) Aus der Endung anga (piçanga, adranga, çâranga) erklärt sich kapingala. Man sieht, daß zuweilen mehrere Endungen zusammengekommen sind, z. B. i‑ta, i‑la, u‑na, u‑ra, i‑anc, i‑nga‑la. In sordidus scheint das erste wie das zweite d das gleiche Suffix zu sein; ebenso in citrala das r und l. — Daß es alte Farbenbezeichnungen ohne Suffixe gegeben hat, ist wohl selbstverständlich. Doch sind sichere Beispiele, wie roth, rufus, auffallend selten; über kâla, schwarz, çâra, bunt, gelb, kann gezweifelt wer‑den, ja sogar über pinga, khunga, khonga (? f. Anm. 92). — Einige Bemerkungen mögen hier noch über einzelne Punkte von besonderem Interesse gestattet sein. Unter den oben an‑geführten Wörtern ist çoṇa, roth, rothbraun, feuerfarbig; welches sehr alte Wort Benfey gegen alle Analogie von su‑varṇa ableiten will. Für suvarṇa, svarṇa, Gold, ist die freilich naheliegende Ableitung von su‑varṇa, schönfarbig, allgemein angenommen; ich glaube es jedoch mit suar, svar, Sonne, Himmel zusammenstellen zu müssen (wie aurum mit aurora), woraus sich auch die doppelte Form erklärt.

Suar, der Name der Sonne (goth. sauil, lat. sol) hat übrigens mit dem speciell indischen Gotte Savitri (wahrscheinlich „Zeuger") keineswegs etwas gemein. Ein anderes der oben angeführten Farbenwörter führt zu der bis jetzt nicht gelungenen Auflösung des interessanten Wortes Eisen. Das sanskritische ajas wird von Pott, Benfey u. A. aus der Wurzel jam erklärt (a-jam-s), als das „Unbezwingliche," ἀδάμας; was schon darum unmöglich ist, weil die negirende Partikel an nur im sanskritischen und iranischen Sprachzweig mit Einschluß des Armenischen das n gelegentlich abwirft, in der indogermanischen Urzeit also nicht a gelautet haben kann. Das Wort eta, fem.: ent heißt farbig; die Wurzel desselben kann nur i (aj) sein. Die Bildung von ajas- aus dieser Wurzel (vgl. pajas) ist ganz regelmäßig, und ajas bedeutete demnach einen farbigen Stoff. Nun heißt eni, fem.: eni eine schwarze Antilope, und da dies doch wohl nach den obigen Analogien mit eta zusammenhängt, um so mehr als, wie es scheint, das Thier, oder ein ähnliches, auch eta heißt (Rv. I, 165, 5 u. ö.), so haben wir eine mit dem historisch belegten ältesten Sprachgebrauche der Inder und Iranier und der nicht zu mißdeutenden Uebereinstimmung der germanischen Sprachen zusammentreffende weitere Spur, daß das ajas der Urzeit Eisen, nicht Kupfer gewesen ist. Vgl. krischnajas, lohitâjas und krischnaita, rohitaita. Vielleicht darf sogar aj-ta mit as-ita (und ar-uṇa) als verwandt betrachtet werden. Eine Parallele zu dem Wechsel der Begriffe Kupfer und Eisen bietet übrigens χαλκός, welches bei Homer unbestritten „rothes" Kupfer, dagegen im russischen sheljezo (das auf χαλχος schließen läßt) Eisen ist. Vgl. ferner loha, Eisen, engl. lead, „Loth," Blei, während lohita, rohila, roth, und daneben rohit, Weibchen der schwarzen Antilope.

⁷² (S. 155.) Jl. 10, 334: μενὸν πολιοῖο λύκοιο. Auch koka heißt im Sanskrit Wolf und zugleich Kuckuk und rothe Gans. Da das weiße Pferd karka und kokáha heißt (Hemac. 1237), so lassen sich vielleicht alle diese Formen auf kvarka oder kvarkva mit der Bedeutung „farbiges Thier" zurückführen, wenn anders die dort angeführten Pferdebenennungen (z. B. khongáha, seráha, khungáha, kijáha, trijúha, volláha, uráha, surúhaka, kuláha, ukanáha) nicht Fremdwörter sind, wie Böhtlingk und Roth mit vieler Wahrscheinlichkeit vermuthen. Der semitische Name des Wolfes, zeeb, ist vermuthlich ebenso zu erklären, und mit zahab, Gold, çahob, goldgelb, vielleicht auch mit sebah, greises Haar, in Verbindung zu bringen. Ich bemerke bei dieser Gelegenheit, daß bei Homer die weißen Haare der Greise stets πολιαί heißen, nie λευκαί, indem, wie es scheint, dieses Wort seinen Ursprung aus roth, licht, noch nicht so weit verloren hatte, um für eine dem Grau nahe stehende Schattirung verwendet zu werden. — Der Gedanke liegt wohl nicht fern, daß der Name des Bären (arksa) von dem des Wolfes (varka) nicht ganz unabhängig sei. Ein ähnlicher Zweifel muß sich über vulpes, Fuchs, aufdrängen, besonders aber auch über λύγξ, Luchs, slavisch rys. Die Möglichkeit, daß rixa, Bär, auch mit dem Namen des Elenthieres, alce, zusammenhänge, hat schon Diefenbach angedeutet (Orig. eur. p. 323); besonders nahe berührt sich das litthauische Wort für Bär, lokis, mit dem slavischen für Elenthier, los. Albr. Weber (Zeitschrift VI, 320) hat (jedoch mit ganz anderer Etymologie) Reh und sanskr. riçja (oder riça), männliche schwarze (oder

bunte) Antilope, mit alee und rixa zusammengestellt. —
Ich halte, im Hinblick auf gaura, „Büffel" und „gelb,
roth, weiß; gelber Farbestoff" auch go, bos, Kuh, für
einen Farbenthiernamen. Man vergl. das zendische guona,
Farbe; ob das vedische eta-gva, buntfarbig, von Rossen,
dazu gehört, wird wegen der Bedeutung von gva z. B. in
daça-gva, çata-gvin, zehn-, hundertfältig (wovon guņa
nicht getrennt werden kann), zweifelhaft. — Ist auch sinha,
Löwe, in seinem Zusammenhang mit einhala, Zinn, Kupfer,
sinhāua, Eisenrost, so zu erklären? Dann wären vielleicht
sanguis, sanies (für sauhies, vgl. çinghāua) verwandt.

⁹³ (S. 158.) *Kῆδος* enthält die beiden Begriffe Sorge
und Verwandtschaft, einigermaßen wie necessitas, ne-
cessitudo. Auch *κεδνός*, lieb, gehört zu dem Begriffe „verbinden"; die Ausführung dieser gewaltigen Begriffswurzel
ist für den zweiten Band meines größeren Buches bestimmt.

⁹⁴ (S. 161.) Wobei natürlich von einer mehr als scheinbaren Zusammensetzung des gothischen fraitan aus fraitan
abgesehen wird; das mittelhochdeutsche verezzen ist wohl
mißverständlich gebildet.

⁹⁵ (S. 161.) Grimm, Myth. 1036.

⁹⁶ (S. 161.) Popp, Pott, Benfey u. A. erklären *μῖμος*
von der Wurzel mâ, messen; nachahmen soll aus der Bedeutung „sich mit etwas messen" hervorgehen. Man vergleiche jedoch z. B. das gothische bimampjan, verspotten,
und andere verwandte Stämme mit der Bedeutung „Ge-
sichter schreiben" (Tiefenbach I, 29); im Griechischen selbst
μῶμος, Spott, *μέμφομαι*, tadeln u. s. w.

⁹⁷ (S. 162.) Vgl. den vortrefflichen Artikel gramjan
in Tiefenbach's gothischem Wörterbuch, II, 423.

⁹⁸ (S. 162.) *Μῆνις* ist Grimm, Groll, besonders der

fürchterliche der Götter, wofür auch das deutsche Grimm
ursprünglich mit Vorliebe verwendet war; im Sanskrit ist
manju außerdem auch Schmerz, Sorge. Lautlich gehört
zu Schmerz zunächst σμερδαλέος, σμερδνός, schrecklich
wsend, furchtbar. Mit mors, Tod, slavisch smertj, hat
das Wort nichts zu schaffen.

⁹⁹ (S. 164.) Vgl. Urspr. und Entw. S. 309 ff. 424 f.

¹⁰⁰ (S. 168.) In den ältesten Stellen hat μύω die
Bedeutung „die Augen schließen," und wir haben keinen
Grund, diese für die jüngere zu halten. Auch vom speculativen Standpunkt müssen wir es wahrscheinlicher finden,
daß die Bewegung der Augen von jeher einen überwiegenden Eindruck gemacht hat. Selbst Thiere, die den Menschen
ansehen, sehen ihm ins Auge. Wie die Hand für die Hand,
wie die küssende Lippe für die Lippe, so hat für das Auge
das Auge sympathetische Anziehungskraft. Schwerlich waren
jedoch die für den sprachlichen Reiz wirkungsvollsten Bewegungen so ganz isolirt; die Wurzeln, in denen die Verzerrung des ganzen Gesichtes sammt dem dabei ausgestoßenen
Laute dargestellt sind, stehen der Urgestalt ohne Zweifel
näher. Von diesen konnte sich die eine mehr der einen
Seite des Gesammteindruckes zuwenden, die andere mehr
einer andern.

¹⁰¹ (S. 172.) Wenn man über den Antheil nachdenkt,
der der Gesticulation in dieser uralten Zeit zugekommen
sein mag, so wird man denselben doch mindestens nicht ge-
ringer annehmen dürfen, als er noch heute bei lebhaftem
Gedankenausdrucke uns Allen natürlich ist; die Frage, ob
Naturvölker lebhafter gesticuliren, die bekanntlich in dieser
Allgemeinheit nicht kurzweg bejaht werden kann, mag dabei
außer Betracht bleiben. In einer Zeit, wo die Menschen

noch nichts als solche Begriffe auszudrücken hatten, wie beißen, reiben, fassen, scharren, treten, mußte wohl der unmittelbare Drang des Ausdrucks, die innere Gewalt der vorgestellten Bewegung ganz von selbst zu einer Mitbewegung führen, die beim Scharren den Fuß, beim Fassen oder Schlagen die Hand in Mitleidenschaft setzte, wie es einer etwas affectvollen Darstellung, selbst in der Gegenwart, eben nicht ferne liegt. Hiermit ist, wie man leicht sieht, für das Verständniß eines an sich zweideutigen Lautes eine bedeutende Unterstützung gegeben, indem beißen, wenn es eine mit der Hand auszuführende Bewegung aus-drücken sollte, von einer ähnlichen begleitet war; und das ursprünglich ohne alle Absicht, dadurch verständlicher zu werden. Auch läßt sich denken, wie die eintretende Diffe-renzirung durch ein solches Hülfsmittel einen Stützpunkt gewinnen konnte. Was mich dabei hier veranlaßt, auf diesen Gegenstand einzugehen, ist der Einfluß, den die Gesticula-tion in einzelnen Fällen auf die Wortbildung selber haben mußte. Man muß nämlich diesen Trieb nur ebenso auf die in dem Antlitz vorgehenden Bewegungen beziehen, und es ergibt sich, daß mit dem Worte gleichzeitig eine Gesti-culation der Gesichtsmuskeln verbunden werden mochte, die nicht verfehlt haben kann, selbst auf die Lautgestalt des Wortes einzuwirken. Wie, wenn das Bild der Faust oder eines Schlages mit derselben vor die Seele und das Wort auf die Zunge trat, gleichzeitig die Faust sich ballte, so suchte bei der Vorstellung des Beißens der Mund sich zu schließen, bei der Benennung der Nase diese selbst irgend-wie in Mitleidenschaft zu treten. Dies ist der eigentliche Grund der in verschiedenen Sprachen (auch z. B. in Betreff des Französischen) bemerkten Erscheinung, daß in

Benennungen der Sprachorgane wie Kehle, Zahn, Nase, häufig ein Consonant eben dieses Organes den Anlaut oder doch einen Bestandtheil bildet. Der Trieb der Gesticulation ist, uns völlig unbewußt, noch jederzeit lebendig, und lenkt, selbst in modernen Sprachen, bei verschiedenen offen stehenden Möglichkeiten, die Wahl mit Vorliebe auf eine Benennung, die es gestattet, ihm Genüge zu leisten. — Ganz ähnlich ist es mit der Schallnachahmung. Wie wir noch heute — freilich nur in einer Sprache, die wir außerdem verstehen — in einzelnen Sprachlauten eine Analogie mit den Klängen der Außenwelt zu fühlen glauben, so wirkte ein gleiches Gefühl allerdings schon bei der Feststellung der Worte mit; aber ebenfalls nur in soweit als die gefühlte Analogie eines der Motive bei der instinctiven Auswahl und Specialisirung war, die der Gebrauch unter den an sich gleichbeutigen Wörtern vollzog, und zwar mit noch geringerem Antheil, als die Gesticulation, da diese der ursprünglichen Natur der Sprachbildung näher steht. Wie sehr die Rücksicht auf das Besondere des zu bezeichnenden Klanges secundär ist, sieht man schon daraus, daß die Wirkung oft auf bloßen Flexionslauten beruht, oder nur bei einer ganz jungen Entartung der Wortgestalt noch aufzufinden ist. So sind z. B. in schmatzen, schnalzen, das z, in donnern das r, in rollen das l Flexionslaute, und in zischen kann weder z noch sch ursprünglich sein. Alle solche Wörter verlieren, in ihrer alterthümlichen Form gesehen, den Anschein des Malerischen ganz oder doch zum allergrößten Theile; z. B. surren und schwirren haben in der Wurzel svar, im lateinischen sermo, Rede, weder lautlich noch begrifflich mehr etwas von einem speciellen Naturklange an sich. Die Sprache hatte je früher um so weniger von diesem Zusammenhang mit der tönenden Natur, in dem man gerade vorzugsweise ihren Ursprung suchen wollte. Dieser Zusammenhang entsteht erst in Folge einer Art von Anziehung, eines Triebes nach Ausgleichung zwischen dem Eindrucke des gehörten Klanges und des gehörten Wortes. — Endlich ist unter den secundären Motiven, die bei Festsetzung des speciellen Verbandes zwischen Begriff und Laut ganz unmerklich mitwirken, eines der wichtigsten die gegenseitige Anziehung der Worte. In jedem Worte klingen eine unendliche Menge von Seelenregungen mit, die an den Laut geknüpft sind, und die, ohne daß wir uns darüber Rechenschaft geben können, auch in einem bloß ähnlichen Laute zum Theil ebenfalls noch mitklingen. Daher geben die Wörter zum Theil gegenseitig einander ihre Färbung; auf die Bedeutung jedes Wortes in dem z. B. ein u vorkommt, wirkt, wenn auch noch so wenig, doch unausbleiblich, jedes in unserer Seele schlummernde andere Wort mit u ein, und bei größerer Uebereinstimmung im Laute wird auch die Wechselwirkung größer. Es kann z. B. nicht fehlen, daß das Wort Gefühl in seiner Färbung etwas von dem Worte Gewühl insinuirt wird. Dem entsprechend ist also auch eine Neigung vorhanden, eine noch schwankende Bedeutung nach der Seite hin sich festsetzen zu lassen, von wo die größte Summe von Anziehungen durch Lautähnlichkeit einwirkt. Es ist dies eine Art von erweiterter Analogie, die sich auf das Unbestimmtere, Dunklere erstreckt. Aber solche in den subjectivsten Hintergrund unsrer Stimmung verwobene Antriebe sind für die Sprachforschung gleichgültig, da sie ebenso unfaßbar, als wechselnd und dem Kern der Sprache fremd sind. Das Bewußtsein von ihnen dient nur dazu, uns die subjectiven Täuschungen mancher sprachlichen Speculationen zu erklären und uns vor ähnlichen zu sichern. Das Resultat, das sich aus solchen Betrachtungen ziehen läßt, ist, daß selbst die in die Urzeit sich verlierende Einwirkung der Gesticulation auf die Worte etwas Accessorisches, den Laut nur Modificirendes ist, und daß auch in solchen Fällen nicht auf eine ursprünglich naturgemäße Verbindung von Laut und Lautobject geschlossen werden kann. Der einzige Weg, die Bedeutung eines Lautes zu ermitteln, ist der historische. So sehr es möglich, oder sogar wahrscheinlich ist, daß bhid zuerst das Beißen bedeutet hat, so sagt doch der Lippenlaut uns darüber nichts; er kann eben sowohl von Wahlverwandtschaft, als von Verwandtschaft herrühren, ja auch keines von beiden: ob der Weg, den der Begriff eingeschlagen hat, vom Zerbeißen auf das Zerreißen führt, oder umgekehrt, ist eine Frage, die nur historisch, unter Herbeiziehung aller diese Begriffe vereinigenden Wurzeln, und der sämmtlichen Verkettung der Begriffe überhaupt, behandelt werden darf.

[102] (S. 173.) Nur wenn die sichtbare Bewegung im Sprachlaute enthalten ist, nicht aber wenn es nur den Schall nachahmt, kann das Wort auch zum Ausdruck des Willens werden. Damit in irgend einer Form ein Ruf ausgestoßen werden konnte, wie „geh!" — mußte die Bewegung des Gehens als Vorstellung vor die Seele treten, und zwar auf eine analoge Weise, wie in dem Augenblicke, da das wahrgenommene Gehen durch das Wort wiedergegeben ward. Eine solche Analogie besteht aber nur zwischen Sehen und Denken, nicht zwischen Hören und Denken. Wer will, daß jemand gehe, will nicht den Schall der Tritte, sondern die anschaulich räumliche Bewegung. Die Theorie der Schallnachahmung schließt also für die erste Sprachperiode jede imperativische

Verwendung der Sprachlaute aus, was der wirklichen Entwickelung schwerlich entsprechend ist.

103 (S. 175.) Von Schaarschmidt's Versuch, den
Kratylos für unächt zu erklären, habe ich gänzlich abgesehen.
Diese Meinung, für die, wenn sie mit den stärksten kritischen Beweismitteln ausgerüstet wäre, es keine andere Antwort gäbe als: unmöglich! wird kaum auf etwas Anderes
als auf innere Gründe gestützt, die auf ebensovielen Miß-
verständnissen beruhen. Wenn denn doch einmal subjective
Gründe gelten sollen, so mag es auch einer, den man
allerdings fühlen muß: es ist die Andacht, das eigenthümliche Gemisch von Klarheit, Rührung und Erhebung, das
so unter allen Menschenschöpfungen nur Plato's Bücher
bewirken. Außer Benfey's Abhandlung hat auch manche
treffende Bemerkung in dem Aufsatze von Alberti (Rhein.
Mus. Bd. XXII, 477 fl.) zur Aufklärung über den tiefen
Sinn des platonischen Gesprächs beigetragen. Was den
Grundgedanken betrifft, so bekenne ich, denselben durch die
erneuten Besprechungen noch nicht für erschöpft zu halten
und keinen von den neuerdings aufgestellten, zum Theil
schroff einander entgegengesetzten Standpunkten ganz theilen
zu können. Ueber den Zusammenhang des Gesprächs mit
Plato's Gesammtlehre und seine Stellung zu seinen Vor-
gängern hoffe ich mich bei einer andern Gelegenheit aussprechen zu können. Was jedoch insbesondere die jetzt so
allgemein geltende Auffassung von Plato's Etymologien als
Scherz betrifft, so ist diese von Schleiermacher herrührende
Anschauung nach meiner festen Ueberzeugung (die ich schon
Urspr. und Entw. S. 407 andeutungsweise ausgesprochen
habe) total irrig. Wenn, wie sich nachweisen läßt, fast
alle diese Etymologien durch das ganze Alterthum von

Grammatikern und Philosophen geglaubt, und wenigstens durchaus nicht spaßhaft gefunden worden sind, so ist nicht einzusehen, warum Plato nicht von der Möglichkeit, daß diese Etymologien richtig seien, ebenfalls überzeugt gewesen sein sollte. Ich sage von der Möglichkeit, denn auf Gewißheit machte die Etymologie noch bis in den Anfang dieses Jahrhunderts überhaupt keinen Anspruch. Ob unter solchen Ableitungen einige sind, die wir, von unserm ganz andern Standpunkte aus, für richtig halten, oder nicht, ist für diese Frage ganz gleichgültig. Die Mühe, die man sich nun seit Jahrzehnten gibt, die Grenzen zu finden, wo in Plato's Etymologien der Scherz aufhört, ist gänzlich verloren, wie schon die Ausflüchte hätten zeigen können, zu denen man sich zu diesem Zwecke gezwungen gesehen hat. Steinthal (in seiner Geschichte der Sprachwissenschaft bei den Griechen und Römern) sucht eine Art von wehmüthiger Selbstironie, Benfey warnende Beispiele gegen gewagte Etymologien in Plato's Ableitungen; wobei denn die augenscheinlich eine ernste Meinung zulassenden oder gar richtigen Ableitungen anfangen eine größere Schwierigkeit als die falschen zu bereiten. Man frage sich aufrichtig, ob nicht mit demselben Rechte Bopp's und Grimm's Erklärung von Braut aus dem sanskritischen praudhâ für Ironie und warnendes Exempel gehalten werden könnte; und ich mache mich anheischig, aus berühmten und mit Recht berühmten Büchern unserer Zeit einen ganzen neuen Kratylos in diesem Sinne zusammenzusetzen. Wie konnte Plato, wenn er auch selbst höher stand, als seine Zeitgenossen und das ganze Alterthum nach ihm, Aristoteles eingeschlossen, der an Plato's Etymologien keinen Anstoß nimmt und einige derselben sich zu eigen macht, wie konnte er, frage ich,

erwarten, daß man seinen Spaß verstehen würde, und
unter seinen Lesern auf lauter Schleiermacher rechnen?
Konnte er hoffen, anderer Zeitgenossen Irrthümer zu wider-
legen, indem er auf sie in einer Weise einging, die mit
der ihrigen zum Verwechseln ähnlich gewesen sein mußte?
Was wäre das für eine Ironie, die von einer wissenschaftlichen Wahrheit so geschickt das Gegentheil sagt, daß bis
nach Jahrtausenden kein Mensch auf den Gedanken kommt,
es sei dies Gegentheil nicht im Ernste gemeint? Die Ironie
des Sokrates bestand in etwas ganz Anderem. Sie ent-
sprach wesentlich dem griechischen Begriffe des Wortes; sie
war persönlicher Art, eine künstlich angewendete Bescheiden-
heitsform, eine Verstellung, die den Gegensatz des falschen
Scheines, der Prahlerei bildete, ein Verstecken und schel-
misches Verläugnen eigener Vorzüge, dissimulatio. Sokrates
stellt sich dumm, unwissend, zuweilen über fremde Thor-
heit als über große Weisheit verwundert; aber er sagt
nicht selbst Thorheiten, die andere für Weisheit halten
können. Indem Plato ihn nun eine wissenschaftliche Au-
sicht von so positiver Art vortragen lassen wollte, wie die
sprachliche im Kratylos, gerieth er mit der solches positive
und besonders grammatische Wissen von sich ablehneuden
Weise seines Sokrates in Widerspruch; daher ironische
Wendungen, in denen er sich sonderbar vorkommt, solche
Dinge zu sagen, und scheinbar zuweilen selbst keinen Werth
darauf legt. Man vergleiche z. B. die Art, wie die Be-
sprechung der Vocale und Consonanten eingeleitet wird
(p. 424). Wo Plato fürchten kann, lächerlich gefunden zu
werden, da kaut er selbst durch Redensarten wie, es sei freilich lächerlich, oder, man werde vielleicht darüber lachen,
vor. Man weiß ja, daß Sokrates über grammatische Dinge

wirklich lächerlich gemacht worden war, und das auf eine
furchtbar wirksame Weise, von Aristophanes. Plato mußte
ihn also sagen laffen: ich weiß, daß Ihr mich auslachen
werdet; aber ich habe dennoch Recht. Denn was können
die Worte anders heißen: *γελοῖα μὲν οἶμαι φανεῖσθαι
..., ὅμως δὶ ἀνάγκη*; Ich glaube, es wird wohl läche-
lich erscheinen, daß die Gegenstände durch Buchstaben und
Silben nachgeahmt zur Darstellung gelangen; aber es ist
nicht anders möglich" — (425)? Die Zurückführung der
Urwörter auf göttlichen Ursprung, gleichsam ein deus ex
machina, oder auf Entlehnung von den Barbaren, welche
nämlich älter seien, oder die Berufung auf ein zu hohes
Alterthum, welches die Erklärung unmöglich mache: das
alles seien Ausflüchte, um über die Urwörter keine Rechenschaft geben zu müssen, während doch ohne diese auch jede
Erklärung der secundären Wörter unmöglich sei. "Was ich
nun aber selbst über die Urwörter denke," fährt sodann
Sokrates fort, "scheint mir ganz drollig und lächerlich."
Und was folgt nun? Der allgemein bewunderte Versuch
über die Urbedeutung der Laute, den wohl Niemand für
einen Spaß halten wird. Das Lächerliche, dem somit vor-
gebaut werden soll, besteht nicht in der Unwahrheit, sondern
in der Seltsamkeit der Behauptungen. So wenn die Wörter
auf fremdartig klingende Urwörter zurückgeführt werden, was
dem naiven Gefühl einen lächerlichen Eindruck macht; wie
denn z. B. Hermogenes über die Ableitung von *βλαβερὸν
aus βουλαπτεροῦν* sagt: "Eben war es mir gerade, als
hättest du das Vorspiel zum Atheneliede geflötet, wie du
so sagtest: bülapteroûn." Worauf Sokrates: "Ich bin nicht
Schuld, Hermogenes, sondern Diejenigen, die das Wort
gemacht haben." "Das ist wahr," sagt Hermogenes (418).

In dem Theile des Gesprächs, der die Wortableitungen enthält, nach Bensey's Ausdruck „ein brillantes etymologisches Feuerwerk" zu sehen, „in welchem die Blitze des Scherzes, Spottes, Hohns, der Ironie und Persiflage wie Raketen von allen Seiten sprühen," ist mir nicht möglich; um so weniger, als dieser „größere Abschnitt", wie er mildernd genannt wird, von den 57 Seiten des Gesprächs (einschließlich der etymologischen Betrachtungen auf S. 434, 437) deren einige 40, also augenscheinlich den ganzen Kern des Dialogs enthält. Wie sehr mir im Gegentheile auch der etymologische Theil mit Plato's Grundanschauungen im Einklange zu sein scheint, kann ich hier nicht ausführen; ich bemerke nur noch, daß für die Annahme, Plato habe mit seiner Etymologie die seiner Zeitgenossen lächerlich machen oder ironisch auf sie anspielen wollen, sogar noch der Nachweis fehlt, daß es eine solche Etymologie überhaupt gegeben hat. Der uralten sprachlichen Spiele bedienten sich freilich die Philosophen zu Plato's Zeit ebenso wie die Dichter; und diese Benutzung der Sprache konnte Plato unmöglich verspotten wollen, da er sie selbst ganz ebenso verwendet. Die Ableitung von σῶμα aus σῆμα (Crat. p. 400) wird auch im Gorgias (p. 493) im Namen „eines Weisen" erwähnt, und wirklich hat man auch hier von „deutlicher Ironie" gesprochen (Schaarschmidt a. a. O. S. 352), obschon der Zusammenhang eine solche offenbar verbietet; die Ableitung von Ἅιδης aus ἀειδές, die im Kratylos als gewöhnlich erwähnt, aber nicht angenommen wird, kommt nicht nur an derselben Stelle des Gorgias, sondern auch im Phaedon (die beide ohne Zweifel früher geschrieben sind) in einer eigenthümlichen Verwendung vor (p. 80), hinter der Ironie zu suchen ganz unmöglich ist.

Während sich also Plato in der gelegentlichen naturetymo-
logischen Benutzung der Sprache zu seinen Zeitgenossen gar
nicht im Gegensatze befindet, konnte in der methodischen
Behandlung der Etymologie im Kratylos eine ironische
Beziehung noch weniger liegen, da im Gegentheile höchst
wahrscheinlich Plato der Erste war, der eine solche mit
Bewußtsein und in einem unsern Begriffen von Etymologie
dem letzten Zwecke nach übereinstimmenden Geiste versucht hat.
»Πρώτῳ τὸν ὑπὲρ ἐτυμολογίας εἰσάγοντι λόγον
Πλάτωνι,« sagt schon Dionysus von Halikarnaß.

¹⁰⁴ (S. 177.) Dieser Ausdruck, den Goethe aus Plotin
kannte, ist von Plato selbst: Rep. VI, 508 (ἡλιοειδέστατον).

¹⁰⁵ (S. 178.) Crat. 422 sqq.

¹⁰⁶ (S. 180.) Plut. de plac. phil. IV, 19.

¹⁰⁷ (S. 181.) So erklärt Bensey (a. a. O. 288) ohne
Zweifel mit Recht die Stelle 427 C. Aber „scherzhaft"
sind auch diese Etymologien nicht. Es finden sich ganz
ähnliche und durchaus ernsthaft gemeinte Beispiele dieser
Art bei den Stoikern. Außerdem ist es auch vielleicht zu
beachten, daß es nur Vocale (α, η, o) sind, für die Plato
diese Rücksicht auf die Schriftzeichen annimmt.

¹⁰⁸ (S. 181.) Selbst Jacob Grimm (Ueber den
Ursprung der Sprache, Berl. Abh. 1851, S. 122) läßt sich
zu dem Ausspruch verleiten: „Ohne Sprache, Dichtkunst
und die zur rechten Zeit sich eingestellten Erfindungen der
Schrift und des Bücherdrucks, würde die beste Kraft der
Menschheit sich verzehrt haben und ermattet sein."

¹⁰⁹ (S. 181.) Plato's Ausdrucksweise selbst kann dies
beweisen. Der Satz νόνομ' ἄρα ἐστὶν, ὡς ἔοικε, μίμημα
φωνῆς ἐκείνου ὃ μιμεῖται (Crat. 423) ist geradezu
zweideutig, und nur das Vorausgehende entscheidet, daß

φωνῆς nicht objectiver, sondern subjectiver Genitiv ist:
„das Wort ist Nachahmung der Stimme," d. h. von Seiten
der Stimme, nicht „Schallnachahmung." Wie nämlich vorher von der Geberdensprache gesagt war, „sie wäre eine
Nachahmung mittels des Körpers, indem der Körper das
nachahmte, was er bezeichnen wollte," so auch hier: „der
Name ist eine Stimmnachahmung dessen, was er nachahmt,
und der mit der Stimme Nachahmende benennt, was er
nachahmt." Die im letzten Theile des Satzes liegende Um-
kehr der Definition war nöthig, weil nur hieraus der Schluß
gezogen werden konnte, der im Folgenden zurückgewiesen
werden soll, nämlich, daß dann auch benenne, wer Thierstimmen nachahmt. Wollte man hingegen übersetzen: „der
Name ist Nachahmung eines Schalles desjenigen, was er
nachahmt," so würde die hiermit gegebene Definition im
unmittelbar Folgenden nicht durch Beschränkung berichtigt,
sondern völlig wieder umgestoßen. — Man sieht leicht, daß
Plato's Ausdrucksweise mit einem bestimmten zu seiner Zeit
vorhandenen Gebrauche der Verbindung μίμημα φωνῆς
unverträglich ist, zumal mit einem solchen, der seiner eigenen Meinung entgegengesetzt war und mit dem er ohne
Mißverständniß nicht zusammentreffen konnte. Ebenso klar
ist es aber auch, daß die aus dem Zusammenhange gerissene
Definition Plato's fast mit Nothwendigkeit auf ein solches
Mißverständniß führen mußte. — Auch die Inder haben
die Theorie der Schallnachahmung in einzelnen Fällen, besonders zur Erklärung einiger Vögelnamen angewendet, wo
sie allerdings zuweilen sehr nahe liegt und sich von selbst
aufzudrängen scheint. (Man lese die Stelle in Jaska's
Nirukta III, 18). Von einer allgemeinen Theorie, einer
Erklärung der Wurzeln und überhaupt der ganzen Sprache

aus Schallnachahmung, ist eine solche Annahme freilich weit
entfernt; im Gegentheile wird offenbar ein jeder solcher Fall
von Schallnachahmung als Ausnahme und aus dem System
der Wurzeln heraustretend betrachtet. Wie alt ist übrigens
das Nirukta, seinem commentirenden Theile nach, sowie
es uns heute vorliegt? Man scheint in dieser Hinsicht
viel zu freigebig mit Jahrhunderten zu sein. Ich kann
überhaupt einen starken Zweifel nicht bergen, ob denn wirklich die indische Grammatik soviel älter als die griechische
und so ganz unabhängig von ihr entwickelt sei. Die Be-
stimmungen der Lebenszeit des Panini, die doch immer
nur auf Schlüsse basirt sind, welche um ein ganzes Jahr-
tausend über die ältesten Zeugnisse rückwärts gehen, können
diese Zweifel nicht beseitigen, wenn gleich die Stütze, die
Albrecht Weber für dieselben eine Zeit lang in einer bud-
dhistischen Tradition gefunden, seit deren vollständigem Be-
kanntwerden hinfällig geworden ist. Goldstücker, der für
Panini ein sehr hohes Alter in Anspruch nimmt, macht
aus einer seiner Regeln (VI, 3, 115), wo von verschiedenen Zeichen am Ohre von Thieren die Rede ist, den
Schluß, daß damals Schrift, namentlich Zahlenschrift, den
Indern nicht unbekannt gewesen sein könne. Obschon die
Stelle bei Panini mir dies noch nicht zu beweisen scheint, so
kann ich es doch in der That kaum denkbar finden, daß
Panini keine indische Schrift gekannt haben sollte. Nur
glaube ich nicht, daß hiermit für das Alter der Schrift in
Indien schon ein Beweis gewonnen ist, solange Panini's
Zeitalter nicht fester steht. Falls indessen meine Nachweise
über den Ursprung der Schrift (in einem auf der vorjähri-
gen Philologenversammlung zu Würzburg gehaltenen Vor-
trage) begründet gefunden werden sollten, so würde eine

solche Zeichnung der Thiere und eine Zählung durch Striche
vielmehr Vorläufer der Schrift sein, und also schon darum
bei Panini die Frage nicht entscheiden. Es scheint mir eine
Forderung der unbefangenen Kritik zu sein, das Alter der
indischen Grammatik nicht unnöthig zu erhöhen. Die Frage,
ob barbarat im Rikpratiçakhja ein griechisches Fremdwort
sei, ist hierbei nicht ohne Bedeutung.

¹¹⁰ (S. 182.) Max Müller (Hist. of anc. Sanskr.
Lit. p. 166 not. 2) sagt mit Beziehung auf die oben (S. 20)
angeführte Stelle: „This, together with the text, shows
a clearer insight into the nature of Homonyma and
Synonyma, or, as the Peripatetics called the latter,
Polyonyma, than anything we find in Aristotle." Und
ferner (ebend. S. 169): „We shall find as impossible
as Yâska to lay down any rule why one of the many
appellatives became fixed in every dialect as the proper
name of the sun, the moon, or any other object; or
why generic words (homonymes) were founded on one
predicate rather than another... All we can say is
what Yâska [?] says, it was so svabhâvatah, by itself,
from accident, through the influence of individuals, of
poets or lawgivers. It is the very point in the history
of language, where languages are not amenable to
organic laws, where the science of language ceases to
be a strict science, and enters into the domain of history."
Ich habe mir erlaubt, dem Worte svabhâvatah einen etwas
anderen Sinn unterzulegen, als der berühmte Gelehrte,
dem wir die Mittheilung dieser Stelle verdanken. Der
Ausdruck, der an das griechische φύσει erinnert, heißt
hier schwerlich etwas Anderes, als „individuell," und
Durga will nun die Thatsache constatiren, daß die Einzel-

bedeutung der Worte fixirt sei, keine Erklärung dieser Thatsache andeuten. In Müller's Darstellung ist der Gegensatz
zwischen willkürlicher Wahl des Lautes für den Begriff,
wie er sich z. B. in der Dialektverschiedenheit zeigt, und der
des Wurzelbegriffs für den Gegenstand nicht klar
auseinandergehalten. Die indische Stelle spricht nur von
der letzteren; ohne jedoch, wie ich glaube, sich in dieser
Hinsicht für die Willkür, den Einfluß von Individuen, von
Dichtern und Gesetzgebern aussprechen zu wollen.

V.

[111] (S. 186.) Besonders Steinthal und Lazarus
haben, auf Herbart'sche Lehren weiterbauend, dem Begriff
der Anschauung eine Anwendung gegeben, die ich durchaus
nicht geeignet finden kann. Die Statuirung eines besonderen
Vermögens, die sich an einem solchen Namen fast nothwendig
knüpft, ohne daß doch zur Erklärung mit demselben etwas gewonnen wäre, hat immer etwas für die Philosophie Bedenkliches. Unter Anschauung wird theils etwas von der Sinnenwahrnehmung gar nicht Unterschiedenes verstanden, theils
auch ein dunkles Etwas, welches, ohne daß die Bedingungen
und Ursachen zu erkennen sind, die Einheit der Wahrneh-
mungen zu kleineren und größeren Complexen bewirken soll.
Lazarus nennt die Säße des Zuckers anschaulich (s. z. B.
„das Leben der Seele" II, S. 168), was nur heißen kann,
daß das Süße Gegenstand der Sinnenwahrnehmung, des
Geschmackssinnes sei. Steinthal definirt: „Die Anschauung
von einem Dinge ist der Complex der sämmtlichen Empfin-
dungserkenntnisse, die wir von einem Dinge haben. Man

sieht die Farbe und Form des Tisches, der Gefühlssinn
lehrt uns seine Härte, Schwere, das Gehör seinen Klang:
alles zusammen liefert die Anschauung davon. Die Empfindung, weil sie ihre Erkenntnisse durch vereinzelte Organe
gibt, verfährt allerdings analytisch; die Anschauung ist eine
Synthesis, aber eine unmittelbare, die durch die Einheit
der Seele gegeben ist." Gerade die Anschauung, diese
Synthesis, bewirkt aber, nach Steinthal, durch Reflexbewegung den Sprachlaut, das Wort; womit dem physiologischen Begriffe der Reflexbewegung eine Ausdehnung
gegeben wird, von der ich nicht glaube, daß ein Naturforscher sie zugestehen kann. Steinthal spricht dann sogar
von einer „Anschauung der Anschauung," während es doch
gewiß keine Empfindungserkenntniß geben kann, deren Gegenstand die Anschauung, d. h. der innere, gar nicht sinnen-
fällige Vorgang des Anschauens wäre; und Lazarus adoptirt
auch diese Anwendung des Wortes, sowie die Bezeichnung
dieser Anschauung als „Vorstellung." Auch gibt es, höchst
symmetrisch, eine „Vorstellung der Vorstellung" und einen
„Begriff des Begriffs." Dabei soll nun die Anschauung
immer etwas Individuelles sein, die Vorstellung etwas Allgemeines, indem, wie Lazarus sich ausdrückt, „die Gesammtheit aller Anschauungen von gleicher Art den vereinigten
Inhalt der Vorstellung ausmache;" oder, nach Steinthal,
„durch die Anschauung der Anschauung aber, oder durch
das Wort, wird nicht bloß eine Anschauungssumme zu
einer Einheit verbunden, sondern es werden damit zugleich
auch alle ähnliche Einheiten, d. h. alle Anschauungssummen,
denen dasselbe einheitliche Ding als Band angelegt wird,
welche unter derselben Anschauung vom instinctiven Selbst-
bewußtsein angeschaut werden, zur Einheit einer Art

zusammengefaßt. Der Mensch hat viele Anschauungen vom Wolfe; sie werden sämmtlich unter derselben Anschauung des Zerreißenden angeschaut oder vorgestellt. Es gibt also nur Eine Vorstellung vom Wolfe und von jeder Anschauung; und sie ist das Allgemeine, und das Wort bezeichnet die Art." Hier ist, wie man sieht, unter „Anschauung der Anschauung" nicht mehr bloß das Anschauen oder Gewahrwerden des Anschauens, sondern auch das Anschauen „unter derselben Anschauung" verstanden, wie es das Wort, neben seinem Vernommenwerden, zugleich mitbewirkt. Dies gibt eine neue Definition der Sprache; sie ist hiernach: „der geistige Vorgang des Umwandelns der Anschauung in Vorstellung." Hier wird Vorstellung genannt, was meiner Ueberzeugung nach vom Begriff durchaus nicht unterschieden werden darf, und auch trotz aller besonders von Lazarus darauf verwendeten Mühe klar zu unterscheiden keineswegs gelingt. — Ich bemerke zur Vermeidung von Verwechselungen, daß ich unter Vorstellung etwas total Anderes verstehe, nämlich nicht das höchst Zusammengesetzte, was mit dem Begriff in Wirklichkeit zusammenfällt, sondern gerade das höchst Einfache, das Element des Geistigen, die Erinnerung der Empfindung, der als Abbild wiederkehrende Sinneneindruck. Anschauung gebrauche ich nur in Beziehung auf den Gesichtssinn, als Vermögen der Auffassung der sichtbaren Unterschiede der Dinge, namentlich der Bewegung und Gestalt. Dieses Vermögen, und überhaupt das, Dinge wahrzunehmen, nehme ich keineswegs von vornherein als gegeben an, so daß ich eine solche „Synthesis" nicht (wie Steinthal thut) auch bei dem Thiere ganz ebenso wie bei dem Menschen voraussetze; ich glaube im Gegentheile, daß es sich mit der Sprache erst entwickelt. Da ich ferner nicht annehme, daß die Wahrnehmung der Dinge vom Individuellen ausgeht und in der „Vorstellung" beim Allgemeinen anlangt, so bedarf ich auch nicht der Ausflucht einer rückläufigen Bewegung, um die Bereicherung, die der Begriff im Laufe des Bildungs- und Denkfortschrittes erfährt, zu erklären. Vielmehr entsteht mit dem Worte sofort auch ein Begriff, und dieser wächst, wie alle unsere Erkenntniß, nach zwei Richtungen zugleich, extensiv und intensiv, in das Große und in das Kleine, er wird umfassender und anschaulicher. Wir sehen mehr Menschen, und den Menschen genauer: beides gestaltet den Begriff Mensch fortwährend um. Hierbei ist aber wohl im Auge zu behalten, daß dieser Vorgang ein historischer ist, während es sich z. B. bei Lazarus immer nur um psychologische Vorgänge handelt, die in einem Individuum, etwa dem Kinde, ebensowohl zu Stande kommen können.

112 (S. 188.) Essays XVI. Of Atheism.

113 (S. 191.) Ich bitte in dieser Hinsicht zu vergleichen: Urspr. und Entw. Anm. 112, wo ich zu späterer Ausführung geschichtliche Andeutungen namentlich in Betreff des Verhältnisses von Pferd und Hund zu dem Menschen gegeben habe. Ebers macht in seinem schönen Buche „Aegypten und die Bücher Mose's" eine ähnliche Bemerkung in Beziehung auf den Zeitpunkt der ersten Erwähnung des ägyptischen Pferdes in der Bibel (welches jedoch für diese die erste Erwähnung des Pferdes überhaupt sein mußte), und das Zusammenfallen dieses Zeitpunktes mit dem ersten Auftreten des Pferdes auf ägyptischen Denkmälern. Er irrt indessen ohne Zweifel in der Annahme, daß das ägyptische Pferd wegen der Aehnlichkeit der Race aus Arabien stammen müsse.

(S. 222.) Ich habe (a. a. O.) bemerkt, daß in der Bibel sich von dem in der nachchristlichen Zeit so berühmten arabischen Pferd keine Spur finde; daß die Araberstämme oft, und immer mit Kameelen geschildert werden, auf denen sie plötzliche Ueberfälle machen und ebenso schnell wieder verschwinden. Dieser merkwürdige Umstand ist sogar direct bezeugt. Strabo sagt bei der Schilderung des glücklichen Arabiens ausdrücklich: „An Vieh ist kein Mangel; nur fehlen Pferde, Maulesel und Schweine. Auch gibt es Vögel aller Art, mit Ausnahme von Gänsen und Hühnern." (XVI, p. 768.) Ebenso von Nabatäa: „Die Schafe haben weiße Wolle; die Rinder sind groß; Pferde hat das Land nicht, sondern die Dienste derselben verrichten Kameele." (p. 784.) Höchst bezeichnend ist auch die Stelle Herodot's (VII, 86), wo bei Gelegenheit der Musterung von Xerxes' Heere, am Schlusse der Aufzählung der Reiterei, gesagt ist: „Die Araber waren ebenso bewaffnet wie die zu Fuße. Sie ritten alle auf Kameelen, die ebenso schnell wie Pferde waren. Nur diese Völker ritten (ἵππευον). Die Zahl der Pferde war 80000, ohne die Kameele und Wagen. Die andern Reiter (ἱππάς) waren nach Schaaren geordnet, die Araber aber waren zuletzt gestellt; da nämlich die Pferde die Kameele nicht vertragen, standen sie ganz hinten, damit die Pferde nicht scheuten." Ebenso sind die Reiter der Araber in dem Heere der Assyrer bei Xenophon (Cyr. II, 1) zu verstehen. Ganz entsprechend ist das Bild, das Abulfaradsch von dem Zustande der Araber vor Muhammed entwirft. Das arabische Pferd könnte also nur, und zwar erst in nachchristlicher Zeit, aus Aegypten eingeführet sein, nicht umgekehrt. Daß es nach Aegypten von Asien aus gekommen sei, ist freilich nicht wohl zu bezweifeln. Aber dies müßte dann jedenfalls von nördlicheren Theilen Asiens aus geschehen sein, wo wohl die Heimath der Pferdes überhaupt zu suchen ist. Was mögen nun aber die Ursachen gewesen sein, die die Einführung des Pferdes nach Arabien und die große, nothwendig damit verbundene Veränderung in dem Leben der Araber bewirkt haben? Die Umwandlungen, die in der Bevölkerung der arabischen Halbinsel in den Jahrhunderten unmittelbar vor Muhammed nach neuen Untersuchungen vor sich gegangen sind, mögen bei dieser Frage in Betracht zu ziehen sein. Aber der entscheidende Einfluß ist gewiß den Persern und ihrer Reiterei zuzuschreiben, insbesondere den Kämpfen der Sassaniden. Der berühmte, von Abulfeda erzählte „Krieg des Tahes" zwischen den Dahriten und Absiten brach über den Wettlauf zweier Pferde Hobheisa's mit dem Hengste Tahes und der Stute Algabra aus, die Kais ibn Zohair im Hedschaz gekauft hatte; — nach Andern war Tahes Vater der Algabra und diese nicht gekauft, sondern gezüchtet. Diese und ähnliche, eine hohe Bedeutung der Pferdezucht verrathenden Notizen, sowie die ersten Erwähnungen der Reiterei, betreffen (wenn ich nicht irre, alle) erst die Zeit Chosru's I., fallen also in das Jahrhundert vor Muhammed. Die Stellen, die sich im Talmud auf die Araber beziehen, deuten auf einen Zustand, wie der von Abulfarabsch geschilderte: der Araber ist von seinem Kameele unzertrennlich; „der Araber mit angerichtetem Speere auf dem Kameele reitend," heißt es z. B. Bab. b. 74. Von Pferden der Araber ist auch hier noch nirgends die Rede, und so möchte damit wohl die ziemlich genaue Zeitbestimmung für die erste Einführung derselben aus Persien — mehr als 2000 Jahre später als sie in Aegypten erscheinen — gewonnen sein. So jung

ist das Pferd auf arabischem Boden, das manchen Natur-
forschern als das „Urpferd" gilt. — Nach Strabo war der
Eifer für das Bogenschießen und die Pferde (τῆς τοξι-
κῆς καὶ ἱππικῆς ζῆλος) von den Medern zu den Persern gekommen. Nach Xenophon war vor Cyrus in Persien
tein Pferd zu finden (Cyrop. I, 3, vgl. Her. II, 80). Zu Herodot's Zeit waren dagegen Reiten und Bogenschießen Hauptgegen-
stände der persischen Erziehung (Her. I, 136). Die Perser
bezogen ihre besten Pferde aus Medien (Strabo a. a. O.),
dessen kälteres Klima der Natur des Thieres entspricht.
Ebenso berühmt waren die armenischen Pferde; auch
Cappadocien lieferte den Persern deren 1500 als jähr-
lichen Tribut. Unter Thogarma, von woher nach Ezechiel
(27, 14) Tyrus seine Pferde bezog, wird theils Armenien,
theils Cappadocien verstanden. Beachtenswerth ist auch, daß
die Israeliten bei ihrem Einzug in Palästina besonders bei den
nördlichen Kanaanitern viele Pferde und Wagen vorfanden.
— Gegen den Satz, daß in den älteren biblischen Büchern
vom Reiten auf Pferden nicht die Rede, vielmehr die
Wurzel rakab in Bezug auf das Pferd mit „fahren" zu
übersetzen sei, hat Hr. Dr. Abraham Geiger Einwendungen
gemacht, und es sogar unbegreiflich gefunden, wie ich jenen
Satz rechtfertigen wolle. Sein Widerspruch ist jedoch ebenso unbegründet, wie er in der Form zuversichtlich ausgesprochen ist. Daß rakab zugleich reiten und fahren
heißt (das erste z. B. immer, wenn von Eseln und Kameelen, aber erst spät, wenn von Pferden die Rede ist)
kann Niemand auffallen, der sich erinnert, daß auch das
englische to ride noch heute dieselben beiden Bedeutungen
hat. Wenn man freilich jede Stelle, wo in den bisherigen
Uebersetzungen reiten und Reiterei zu lesen ist, als

Argument anführen zu dürfen glaubt, so mag man Recht haben
zu sagen, daß man meine Behauptung nicht begreife. Woher
sollten auch die Hebräer jener Zeit zur Kenntniß der Reiterei
gekommen sein, die die Aegypter, und bekanntlich selbst die
homerischen Griechen, nicht verwendeten? Herr Dr. Geiger
muß Stellen wie „das Roß (Pharao's) und seinen Reiter
(rokebo)" in dem Liede am rothen Meer im Auge haben,
wenn er die seltsame Behauptung aufstellt, daß Reiten auf
Pferden komme in allen biblischen Büchern vor und „etwa
nur 3. Mos. 15, 9" sei das Fahren allein gemeint. Aber
was die auf Aegypten bezüglichen Stellen betrifft, so sind
wir in der Lage, sie auf den Denkmälern illustrirt zu sehen,
und mit Bestimmtheit zu wissen, daß jene „Reiter" Wagenlenker waren; wie ja der Text selbst der pharaonischen Kriegswagen so deutlich Erwähnung thut, daß jedes Mißverständniß
ausgeschlossen bleiben sollte. Pharao hoch zu Roß — so
etwas mag man in einem Bilderbuche des 17. Jahrhunderts
finden; im Pentateuch darf man es nicht finden wollen.
Für ganz besonders entscheidend scheint aber Geiger eine
Stelle gehalten zu haben, die es in der That höchstens für
mich sein kann. Er sagt: „Der Verfasser wird wohl den
Segen Jakob's als einen der ältesten Bestandtheile der Bibel
betrachten. Dort nun (1. Mos. 49, 17) wird Dan einer
Schlange verglichen, die dem Pferde in die Fersen beißt,
so daß der Reiter (rokebo) rücklings stürzt; rücklings aber
stürzt nur der Reiter, wenn im Schmerze das Pferd sich
bäumt, nicht aber wer auf dem Wagen fährt." Herr Dr.
Geiger möge mir verzeihen, wenn ich mich bei diesem kleinen
equestrischen Excurs einer Aeußerung Jakob Grimm's erinnere, der einmal bemerkt, daß dem Sprachforscher zuweilen auch „Laienkenntnisse" zu empfehlen seien. Warum

soll aber nicht rücklings stürzen, wer auf dem Wagen fährt?
Man darf sich freilich unter diesem Wagen keine Kutsche
denken. Die Kriegswagen der Alten — von dem des Ame-
nophis bis zu dem des Darius in der „Alexanderschlacht"
— sind zweiräbrig und von der Rückseite offen, von wo
aus sie bestiegen werden. In diesem Wagen stand der
Wagenlenker und wer sonst noch in demselben fuhr. (Vgl.
3. Mos. 15, 9, wo nur vom Stehen die Rede sein kann,
da das Sitzen V. 6 erwähnt war.) Nun denke man sich
das Pferd von einer Schlange angegriffen — ohne Zweifel
von rückwärts; die Schlange, ein Bild der Tücke, soll ja
hier gerade die List des zum Lauern im Hinterhalte ge-
schickten Volksstammes versinnlichen. Das Pferd thut, was
es in solchen Fällen immer thut: es bäumt sich nicht, es
schlägt aus, springt nach vorn oder zur Seite; und auch
wenn es steigt, kann die Wirkung kaum eine andere sein:
der Lenker, durch den plötzlichen Stoß aus dem Gleichgewicht gebracht, fällt rückwärts aus dem Wagen. Das Bild
in dem Segen Jakob's trägt, beiläufig bemerkt, ein ab-
sichtlich ägyptisches Colorit. — Die weitere Ausführung
des nicht unwichtigen Gegenstandes ist mir hier nicht möglich. Ich bemerke nur noch, daß das Pferd in Palästina
sich offenbar bis zur persischen Zeit nirgends im Privat-
besitze befand. — Die Hebräer der alten Zeit kannten auch
das Haushuhn nicht. Daß in Jemen jener „persische
Vogel" ebenfalls nicht gefunden wurde, haben wir oben
von Strabo erwähnt gesehen, und auch dem alten Aegypten
war er ohne Zweifel fremd. Dagegen spielte die Gans
und vor Allem, wie bekannt, die Katze bei den Aegyptern
eine große Rolle; um so auffallender ist die Nichterwähnung
beider in der Bibel. Die Gans, den Indogermanen von

jeher unter diesem Namen eigen, kommt in der Ilias nur wild, aber schon in der Odyssee zahm vor.

114 (S. 195.) Monboddo, Ursprung und Fortgang der Sprachen, übersetzt von A. Schmid. Riga 1784. S. 254. 256 f.

115 (S. 198.) Ueber Umfang und Quelle der erfahrungsfreien Erkenntniß. Frankf. a. M. 1865.

Inhalt.

I.

II.

Mehrdeutigkeit der Wurzeln. Ob dieselbe ursprünglich sei? Meinungen Diefenbach's und Grimm's über diese Frage. Vorstellung von einer ursprünglichen Gesundheit und nachmaligen Entartung der Sprache. Zurückweisung dieser Ansicht. Beispiele von Bedeutungsscheidung. See; queen; Karl. Die allgemeine Ursache der Entwickelung der Sonderbedeutungen ist der Sprachgebrauch. Wesen desselben. Dialectverschiedenheit und Bedeutungswandel. Eine Katastrophe als Ursache der Sprachschöpfung ist nirgends bemerkbar. Allmähliche Begriffssetzung in abgeleiteten Wörtern und Zusammensetzungen. Gleiche Entstehung der ableitenden Elemente selbst. Ausbildung der grammatischen Flexion und Analogie. Differenziirung der Endungen. Jugend der eigentlich grammatischen Begriffskategorien; die Ableitung der Wörter erfolgt ursprünglich nach andern Eintheilungsprincipien. Gegensatz zwischen Sprachgesetz und Sprachregel. Sprachgesetze entstehen ohne Bewußtsein. Lautgesetze, ihre complicirte Natur und Consequenz in Dialecten. Allmähliche Umbildung des Wortes in Lautgestalt und Begriffsfunction. Geltung derselben Ursache in den Wurzeln. Entwickelung der Bedeutungen Joch, Zwilling, Geschwister, Gatte, Ehe, Haus, Zaum, ziemen, Zunft u. a. aus einer einzigen Wurzel. Dieselben Begriffe in vielen andern Wurzeln entwickelt. Die Wörter Schwager, Schwester, Tochter, Sippe, Neffe, Nichte, Braut, Bruder; der Göttername Castor; sein, sieben; Ehe, Eid, Eidam u. a. Gleichgültigkeit des Lautes für den Begriff, und umgekehrt. Die Sonderbedeutung ist ein Resultat des Zufalls oder der Entwickelung . . 47—90

III.

Zustand der Wurzeln vor der Sonderung der Ableitungen. Allgemeiner Begriffsinhalt derselben. M. Müller's Folgerungen hieraus für einen ursprünglich hohen Geisteszustand des Menschen. Unmöglichkeit des Verständnisses bei der Annahme solcher Wurzeln. Poll über Vieldeutigkeit in der Sprache und seine Meinung von einer einheitlichen Grundbedeutung eines jeden Wortes. Unmöglichkeit der Sprachentwickelung aus eindeutigen Wurzeln. Letzte

Alternative. Der Mensch hatte bereinst kein Mittel zur Bezeichnung des Speciellen. Fortsetzung der Analyse der Wurzelbedeutungen. Die Urwurzeln noch vieldeutiger als die historischen Wurzeln. Das Problem der Vernunft. Das Allgemeine. Die Frage nach den Allgemeinbegriffen im Alterthum. Ideenlehre Plato's. Aristoteles. Die Nominalisten und Realisten. Nominalismus der arabischen Philosophen und Buddhisten. Locke. Sprachliche Seite der Frage. Kant. Nothwendigkeit der Erneuerung dieser Untersuchung. Unterscheidung zwischen dem Einzelnen und Besonderen. Objective Seite der Frage: die Differenzsirung in der Natur. Subjective Seite: der Allgemeinbegriff. Abweisung der Annahme der Abstraction als dessen Entstehungsursache. Ob Phantasie und Witz die Sprache geschaffen haben können? Unzulänglichkeit jeder anderen als der historisch-sprachlichen Entscheidung. Die Verwechselung. Kindervernunft. Beschränkung der Analogie derselben mit dem Urzustande des Menschen. Die Begriffe Baum und Fisch. Entstehung allgemeiner Begriffe aus specielleren. Die Begriffe Thier, Vieh; Vogelbenennungen. Vieldeutigkeit als Succession. Allgemeiner Ausdruck des Bedeutungsentwickelungsgesetzes. Grundbegriff von Karl, Korn u. a. Der Umfang dessen, was bezeichnet werden kann, verschwindet fast bis auf Nichts. Identität von Bedeutungsentwickelung und Begriffsentwickelung. Der unendliche Discursus. Stetigkeit desselben. Unzulänglichkeit einer im Allgemeinen bleibenden Etymologie. Wichtigkeit der Kenntniß speciellster Einzelheiten. Nothwendige Forderung an die Etymologie. Der Anfang der Sprache zeigt Unfähigkeit nicht nur des Bezeichnens, sondern des Bemerkens. Prüfung dieses Satzes an Beispielen der Bezeichnungsfolge. Das Extrem und die Verwechselung: Farbenwörter; Nacht; Meer; Grund. Genetische Benennung: Figur, Zeichen, Geräth, Schiff; dumm, wahr u. a. Phänomenale Benennung: Kern, Schale, Rinde, Baum, Haut, Fleisch, Leib u. s. w. Der Begriff entsteht durch das Wort; die Sprache ist primär; vor ihr war der Mensch vernunftlos. Die Sprache Ausdruck der Gesichtswahrnehmung. Beispiel des Uebergangs auf andre Sinne: bitter und süß. Wichtigkeit des Gesichtssinnes für den Menschen. Unterscheidung durch Geruchswahrnehmung bei den Thieren vorwaltend; Spürkraft der Naturvölker. Erstes Object der Sprache . 91—145

IV.

V.

mit dem Menschen. Wunderbares Verhältniß des Hundes zum Menschen, religiöse Natur dieses Verhältnisses. Bedeutende geistige Leistung des Hausthieres. Das Bellen ein Sprechversuch. Mitleidenschaft des Thieres mit dem sprechenden Menschen. Das Sprechen der Vögel. Steigerung der Fähigkeit des Hausthieres im Verfolge der Generationen. Gegensatz von Instinct und Vernunft. Die Instincte der niedrigeren Thierarten sind etwas Mechanisches. Räthsel des collectiven Mechanismus im Bienenstaat. Selbstständig entwickelte Intelligenz höherer Thiere. Mißverständliche Uebertreibung derselben. Monboddo über die mechanischen Kenntnisse des Orang-Utangs. Syllogismus eines Papageis. Gegensatz zwischen mechanisch-richtiger Bewegung und mathematischem Bewußtsein. Unklarheit der Grundlage unserer Mathematik. Forderung einer neuen Vernunftkritik. Irrthum Kant's. Die Vernunft als Entwickelung. Parallelismus zwischen geistiger und körperlicher Entwickelung. Die Entwickelung ist nicht als Züchtung zu erklären. Das gemeinsame Princip der Vernunft- und Naturentwickelung ist Differenzirung. Bedeutung des Zufalls. Demokrit und Epikur. Zwiefacher Mangel ihres Weltsystems. Das Element der Zeit, der Succession und der Allmählichkeit. Die Entwickelung ist die Fortsetzung des individuellen Wachsthums. Das Element des Innerlichen oder der Empfindung. Die Empfindung eine allgemeine Eigenschaft der Dinge. Die Welt Bewegung und Empfindung . . . . . 184—204

Anmerkungen.

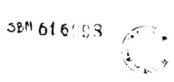